VIAJE
CHAMÁNICO

Guía de iniciación

Incluye
audios

SANDRA
INGERMAN

edaf

VIAJE
CHAMÁNICO

Guía de iniciación

Traducción de Mamen Escudero Millán

www.edaf.net

MADRID – MÉXICO – BUENOS AIRES – SANTIAGO
2019

Título original: *Shamanic Journeying. A Beginner's Guide*
© 2008 Sandra Ingerman
Sounds True es una marca comercial de Sounds True, Inc.
Todos los derechos reservados. Ninguna parte de este libro o código QR puede ser utilizada o reproducida en modo alguno sin autorización escrita de la autora o de la editorial.

© 2019. De esta esta edición, Editorial Edaf, S.L.U., por acuerdo con Sounds True Inc. 413, S. Arthur Avenue, Louisville, CO80027, representados por BookBank, S.L., Agencia Literaria, San Martín de Porres, 14, 28035 Madrid.

© 2018. De la traducción: Mamen Escudero Millán
Diseño de la cubierta: Marta Elza
Maquetación y diseño de interior: Diseño y Control Gráfico, S.L.

Editorial Edaf, S.L.U.
Jorge Juan, 68,
28009 Madrid, España
Teléf.: (34) 91 435 82 60
www.edaf.net
edaf@edaf.net

Ediciones Algaba, S.A. de C.V.
Calle 21, Poniente 3323 — Entre la 33 sur y la 35 sur
Colonia Belisario Domínguez
Puebla 72180 México
Telf.: 52 22 22 11 13 87
jaime.breton@edaf.com.mx

Edaf del Plata, S.A.
Chile, 2222
1227 Buenos Aires (Argentina)
edaf4@speedy.com.ar

Edaf Chile, S.A.
Coyancura, 2270, oficina 914, Providencia
Santiago — Chile
comercialedafchile@edafchile.cl

Septiembre de 2019

ISBN: 978-84-414-3967-2
Depósito legal: M-24344-2019

IMPRESO EN ESPAÑA   PRINTED IN SPAIN
GRÁFICAS COFÁS - Pol. Ind. Prado Regordoño, Móstoles (Madrid)

ÍNDICE

INTRODUCCIÓN

Cuando pensamos en la palabra «chamán», a muchos nos viene a la cabeza la figura de un sanador espiritual, con conocimientos ocultos y poderes misteriosos. De modo que parece lógico preguntarse: ¿cómo llegó al chamanismo, en los años ochenta, una chica corriente de Brooklyn?

En 1980 estaba cursando un máster en asesoramiento psicológico en el Institute of Integral Studies de California. Por razones económicas, tenía que trabajar sesenta horas a la semana, al mismo tiempo que cursaba doce créditos por trimestre, de modo que siempre buscaba créditos fáciles. Un día estaba en la secretaría del centro y un amigo entró y me dijo que iba a venir un señor de Connecticut a impartir un taller de fin de semana sobre algo llamado *chamanismo*. Mi amigo no sabía en qué consistía el taller, pero me dijo que podía conseguir dos créditos fácilmente si lo realizaba. Inmediatamente me apunté, sin tan siquiera mirar lo que estaba solicitando. El taller comenzó en Halloween, el año 1980.

El señor que venía de Connecticut resultó ser Michael Harner, antropólogo y autor de *The Way of de Shaman* / *La senda del* *chamán**, reconocido por haber recuperado la tradición del viaje chamánico en la moderna cultura occidental. Mientras investigaba para su libro, Michael Harner realizó un descubrimiento fundamental, que se convertiría en la base de su extensa labor de enseñanza en Occidente. Se encontró con que el viaje chamánico ha sido una práctica compartida por todos los chamanes y todas las culturas a lo largo de la historia, independientemente de la localización geográfica y de las diferencias culturales.

Durante el viaje chamánico, el chamán entra en un estado de consciencia alterado, fuera del tiempo y del espacio, que le lleva a lo que Carlos Castaneda llamó «realidad no ordinaria», y que yo considero un universo paralelo. Lo habitual es que el chamán se deje llevar por alguna forma de sonido rítmico de percusión, que transporta el alma hasta esa realidad no ordinaria. En estos viajes, el chamán obtiene información de los espíritus de ayuda o espíritus tutelares, que se ofrecen en la realidad no ordinaria para brindar ayuda sanadora y proporcionar información a pacientes, a familiares y a la comunidad.

Durante aquel taller de fin de semana aprendí que la técnica del viaje chamánico puede ser abordada hoy en día por cualquiera que quiera obtener respuestas a preguntas perso-

*Kairós, Barcelona, 2016. Traducción fantástica en una edición revisada.

nales, aprender métodos diferentes de curación, ayudar a otras personas de su comunidad o trabajar en cuestiones de alcance mundial y global. Tan pronto como conocí a mi espíritu de ayuda en mi primer viaje, me di cuenta de que esta práctica no solo me ayudaría a afrontar los futuros retos que habrían de presentarse en la vida, sino que impulsaría también mi crecimiento personal y contribuiría a mi evolución. Desde entonces, y en consonancia con mi formación en psicoterapia, mi objetivo ha sido encontrar la mejor manera de aplicar y compartir esta ancestral y poderosa técnica.

La práctica del viaje chamánico hace posible que nos sintamos personalmente empoderados en la vida. Nos ofrece la posibilidad de tener una revelación directa y es una técnica sencilla para acceder a orientación espiritual. Es una manera de salir de nuestra mente y de expandir nuestro conocimiento y nuestra consciencia.

Cuando nos damos cuenta de que podemos resolver problemas por nosotros mismos, nuestra autoestima aumenta de manera importante. Viajar para encontrarnos con nuestros espíritus de ayuda hace que nos sintamos valorados y conectados con el espíritu que habita en cada una de las cosas. Nos sentimos amados por el poder del universo y jamás volvemos a sentirnos solos.

Al trabajar con los espíritus de ayuda, se comprende el verdadero significado de la palabra «poder». El verdadero poder consiste en ser capaces de usar nuestra energía para generar transformación, para nosotros mismos, para otros y para el planeta.

El viaje chamánico es un feliz camino de recuperación del conocimiento, que nos permite saber cómo reconducir nuestra vida hacia un lugar de armonía y equilibrio. Nos ayuda a reconocer todo nuestro potencial creativo. Y, al hacerlo, la vida cambia de un modo que nos aporta salud y bienestar, a nosotros y los que nos rodean. Yo he visto a personas deprimidas despertar de nuevo a la alegría de vivir. Las he visto empezar a bailar y a cantar después de una vida de represión de su chispa creativa. He visto a gente reconstruir su vida después de sufrir graves enfermedades y pérdidas personales. He visto a gente recuperar la «voz». Solo se necesita tener el deseo y un corazón abierto a la realización de este ejercicio espiritual. Cualquiera puede viajar y abrirse a nuevas dimensiones de la vida y los espíritus están ahí, esperando para guiarnos.

Es importante que comprendas que no pretendo prepararte para que te conviertas en chamán. No es lo corriente, según la tradición, que alguien se presente voluntario para el papel de chamán, ni que se identifique como tal. Por el contrario, la persona es elegida por «los espíritus» para convertirse en chamán y trabajar al servicio de su comunidad. De hecho, en las culturas chamánicas, presentarse uno mismo como chamán da mala suerte, pues sería como hacer alarde de algo, cuando, según el concepto chamánico, si alardeas de tener poder, lo perderás. En lugar de ello, tu comunidad te reconoce como chamán sobre la base de los buenos resultados que has alcanzado en beneficio de tus clientes y de la comunidad en general.

En *Viaje chamánico. Guía de iniciación,* aprenderás una de las técnicas fundamentales utilizadas por chamanes de todo el mundo para conectar con los espíritus de ayuda, para acceder a la orientación espiritual personal y a la curación, para ayudar a otros y al planeta, así como para reconectar con la naturaleza y sus ciclos y ritmos: el viaje chamánico. Esta técnica está diseñada para que accedas de forma directa a orientación espiritual. Desde mi punto de vista, los tiempos en los que vivimos nos exigen que desarrollemos herramientas para resolver nosotros mismos nuestros problemas, herramientas que nos permitan convertirnos en personas más empoderadas y con más recursos.

Muchos utilizaréis este método para vuestra propia curación, para vuestro crecimiento personal y vuestra evolución. Después de practicarlo intensamente, algunos os sentiréis llevados a utilizarlo para ayudar a otros miembros de vuestra comunidad y en vuestra labor de ayuda al planeta. Este programa está diseñado para introducirte en la técnica del viaje chamánico, de tal modo que, a través de él, vaya desplegándose tu destino.

El código QR de la página 119, con audios que acompañan al libro, contiene tres sesiones de sonidos de tambor o tres viajes chamánicos como ayuda para iniciarte en la práctica del viaje chamánico. Cuando hayas terminado de leer *Viaje chamánico.*

Guía de iniciación, estarás preparado o preparada para usar el material que te ofrecemos en el código QR como acompañamiento en tus viajes a la realidad no ordinaria.

1

CHAMANISMO: EL CAMINO DE LA REVELACIÓN DIRECTA

El chamanismo es la práctica espiritual más ancestral de la que se tiene conocimiento, con una antigüedad de decenas de miles de años.

Aunque el término «chamán» es una palabra de origen siberiano que designa a un sanador espiritual, el chamanismo ha sido una práctica habitual no solo en distintas partes de Asia, sino también en Europa, África, Australia, Groenlandia y entre los pueblos indígenas de América del Norte y del Sur a lo largo de la historia. El hecho de que esta práctica haya perdurado y prosperado durante decenas de miles de años dice mucho de su poder.

Uno de los aspectos más hermosos del viaje chamánico es el principio de la revelación directa. La disciplina del viaje chamánico nos permite apartar el velo entre los mundos visible e invisible y acceder a información y a energías que nos ayudan a despertar y a recuperarnos en toda nuestra plenitud.

Un chamán es un hombre o una mujer que interactúa directamente con los espíritus para abordar los aspectos espirituales de la enfermedad, llevar a cabo la recuperación del alma, adivinar información, realizar ceremonias para la comunidad y ayudar a los espíritus de las personas fallecidas a cruzar al otro lado. Los chamanes han adoptado numerosos papeles en las comunidades tribales. Han actuado como curanderos, médicos, sacerdotes, psicoterapeutas, místicos y narradores de historias.

Tradicionalmente, el chamanismo se ha centrado en los resultados prácticos alcanzados por el chamán. En la cultura chamánica clásica, un individuo o unas pocas personas de la comunidad asumían el papel de chamán y eran consultados por cazadores y recolectores de la tribu para encontrar alimento. Si el chamán era incapaz de adivinar con precisión la localización de las fuentes de alimento, la tribu no sobreviviría. También se esperaba de los chamanes que llevaran a cabo curaciones de miembros de la comunidad. Así pues, la supervivencia de la tribu dependía en gran medida de las capacidades espirituales del chamán.

El chamanismo nos enseña que todo cuanto existe está vivo y tiene espíritu, y que el ser humano está unido a la tierra y a toda esa vida por interconexión espiritual. Del mismo modo que la física cuántica describe un campo de energía que conecta todas las formas de vida, los chamanes hablan también de una red de vida que conecta todas las cosas.

En la cultura moderna, somos muchos los que sentimos un anhelo profundo de experimentar nuestra unión con esa red de vida y de poner fin a la sensación de aislamiento. Cuando viajamos a la realidad no ordinaria mediante el viaje chamánico, aprendemos a comunicarnos con el espíritu de plantas, mamíferos, insectos, aves, peces y reptiles e incluso de piedras, así como con el espíritu de los elementos tierra, aire, agua y fuego. Tenemos una experiencia directa con la red de la vida.

Como parte de la naturaleza, el ser humano tiene una profunda necesidad de reconectar con los ciclos y ritmos de la naturaleza. Imagina lo agotador que sería tener que caminar en contra de la corriente de un río todos los días de tu vida. En verdad, es así: hemos desconectado de los ciclos y los ritmos de la luna y de las estaciones y a menudo caminamos contracorriente entre las aguas del río de la vida. Creo que esta es, en parte, la causa de trastornos como la fatiga crónica o la depresión y de muchas otras enfermedades, tanto psicológicas como físicas, que son tan frecuentes en la actualidad. Los espíritus de ayuda tienen mucho trabajo por delante para enseñarnos a restablecer el equilibrio y la armonía en nuestra vida, a través de la reconexión con los ciclos de la naturaleza y la unidad con el mundo natural.

Dentro de la disciplina del chamanismo, existen diversas ceremonias que se realizan para reconocer y trabajar con los ciclos de la naturaleza y los ciclos de nuestra propia vida, así como para leer señales e interpretar sueños, todo lo cual proporciona entendimiento, curación y empoderamiento. El chamanismo también nos enseña el valor de realizar con regularidad trabajo espiritual y de ponernos al servicio de los demás, lo cual da a nuestra vida significado y un genuino sentido de propósito. Por último, la técnica chamánica nos permite acceder a fuerzas poderosas que nos ayudan a crear el mundo en el que deseamos vivir, para nosotros y para los demás.

Los chamanes curan la enfermedad emocional y física trabajando el aspecto espiritual de la enfermedad. El papel del chamán ha incluido tradicionalmente la celebración de ceremonias. Tras decenas de miles de años, los chamanes tradicionales siguen formando parte de la vida de las actuales comunidades en Siberia, Asia, Australia, África y América del Norte y del Sur. La técnica del viaje chamánico que aprenderás con este libro es solo una de las numerosas ceremonias que los chamanes utilizan para establecer comunicación con el mundo espiritual.

Según la visión del chamán, existen tres causas frecuentes de enfermedad.

La primera es que la persona haya perdido su fuerza y esto le haya causado depresión, enfermedad crónica o una serie de infortunios. En este caso el chamán inicia el viaje para restaurar la fuerza perdida de la persona.

Una segunda causa puede ser que la persona haya perdido parte de su alma o esencia, lo cual ocurre a veces por traumas físicos o emocionales, como accidentes, cirugía, maltrato, guerra, desastres naturales u otras circunstancias. Esta pérdida de alma da lugar a disociación, síndrome de estrés postraumático, depresión, enfermedad, problemas de inmunodeficiencia, adicciones, duelos interminables o coma. Es tarea del chamán identificar las partes que se han perdido por el trauma, realizando una ceremonia de recuperación del alma.

La tercera causa de enfermedad desde la perspectiva del chamán sería cualquier bloqueo espiritual o energía negativa que haya afectado a la persona, debido a la pérdida de fuerza o alma. Estos bloqueos espirituales también causan enfermedad, generalmente en un área localizada del cuerpo. Es tarea del chamán extraer del cuerpo y eliminar las energías dañinas.

Otras ceremonias que realizan los chamanes incluyen dar la bienvenida a este mundo a los niños, celebrar matrimonios y ayudar a las personas en el momento de la muerte, en la transición de cuerpo a espíritu. Los chamanes también trabajan para favorecer el crecimiento de las cosechas, ayudar a la gente a interpretar los sueños y aconsejar a las personas que están pasando por algún problema. También son los encargados de las ceremonias de iniciación en las transiciones de una fase de la vida a otra, como por ejemplo la iniciación de los niños a la vida adulta. Los chamanes narran historias sobre el significado de la vida y nos enseñan que los espíritus pueden ayudarnos a encontrar el camino cuando nos sentimos perdidos en medio de las circunstancias de la vida. Pueden romper conjuros, eliminar energías oscuras e interpretar cuál es el estado de la comunidad, identificando desequilibrios y pérdidas de armonía. Celebran ceremonias para llorar la pérdida de un miembro de la comunidad. E interpretan señales y augurios para elegir los momentos más propicios para emprender acciones, como cazar o celebrar una ceremonia.

Los chamanes conocen los ciclos de la naturaleza, es decir, los ciclos de la luna y de las estaciones y el modo en que las estrellas se mueven por el firmamento. Saben leer las señales ligadas a estos cambios y movimientos. Se comunican con los espíritus del tiempo y mantienen la armonía y el equilibrio en su comunidad.

Tradicionalmente, en una comunidad ha habido siempre más de un chamán. Los distintos chamanes son reconocidos por ser expertos en un área espiritual concreta. Por ejemplo, algunos chamanes son respetados por los grandes logros alcanzados en ciertas ceremonias de curación como recuperadores de almas, mientras que otros son reconocidos por sus habilidades adivinatorias.

A lo largo de su historia, la práctica del chamanismo ha ido adaptándose a las diferentes necesidades culturales, que naturalmente han cambiado con el paso del tiempo. Existe en la actualidad un llamativo resurgir del chamanismo en Occidente, con un variado abanico de personas que integran las prácticas chamánicas en su vida, entre ellas estudiantes, amas de casa, profesores, psicoterapeutas, abogados, enfermeras, médicos, políticos y científicos. Creo que una de las principales razones de este resurgir es que la gente desea poder acceder directamente a su propia orientación espiritual. Queremos dejar de ceder el poder a figuras de autoridad socialmente aceptadas. Sabemos que somos los únicos que realmente tenemos el poder para cambiar nuestra vida.

2

LOS TRES MUNDOS

De acuerdo con la visión chamánica, existe una realidad invisible más allá del mundo físico y accesible a través del viaje chamánico. En el chamanismo celta, esta realidad invisible se conoce como el «Otro Mundo». En la tradición aborigen australiana, el mundo invisible se conoce como «Tiempo del Sueño». En muchas tradiciones chamánicas se considera que la realidad invisible se divide en tres mundos: el Mundo Inferior, el Mundo Superior y el Mundo Medio. Cada mundo tiene características propias, entre las que cabe citar puertas de acceso o entradas especiales y un paisaje reconocible. En esta introducción, me gustaría presentar cada uno de estos tres mundos, con sus puertas de entrada y sus paisajes propios.

Mundo Inferior

El Mundo Inferior es conocido también como «Inframundo», aunque es posible que, para algunas personas, este término tenga connotaciones negativas. En el Mundo Inferior el paisaje tiende a ser terrestre, con montañas, desiertos, densas selvas y bosques. En mis clases de enseñanza de la técnica del viaje chamánico, recomiendo a la gente que comience a practicar viajando a este mundo.

Para viajar al Mundo Inferior debes comenzar por visualizar un lugar en la naturaleza que hayas visitado en la realidad ordinaria y del que tengas un recuerdo nítido y utilizar ese punto para viajar al interior de la Tierra. Las formas tradicionales de entrar en el Mundo Inferior son descolgarse hacia abajo por las raíces de un árbol, adentrarse por el centro de un volcán o entrar por un agujero en el suelo, por una cueva o por una masa de agua, como puede ser un lago, un torrente, un río o una cascada. En definitiva, vale cualquier entrada, con tal de que te veas a ti mismo en un lugar concreto de la naturaleza utilizando una abertura natural para viajar al interior de la Tierra. Si no tienes una imagen clara de una abertura natural, puedes visualizarte a ti mismo viajando al interior de la Tierra en un ascensor o en el metro, si eso te resulta más fácil.

A menudo, la gente, una vez que han entrado por esa abertura, experimenta una fase de transición, que se muestra como un túnel que les conduce al Mundo Inferior. Un ejemplo literario de esa transición puede encontrarse en el cuento de *Alicia en el*

País de las Maravillas, en el que Alicia desciende a otro reino a través de un túnel mágico. Después, saldrás a la luz y el paisaje a tu alrededor se volverá claro. Ese será el Mundo Inferior.

Mundo Superior

Muchas personas perciben, en cambio, el Mundo Superior como muy etéreo. La luz suele ser brillante, aunque el espectro de colores puede incluirlo todo, desde suaves tonos pastel hasta la más absoluta oscuridad. Los paisajes en el Mundo Superior son muy variados y cabe la posibilidad de que te encuentres de repente en una ciudad de cristal o simplemente en las nubes. En el Mundo Superior es habitual sentirse como si estuvieras de pie encima de algo, aunque ya no puedas notar la tierra bajo tus pies.

Para viajar al Mundo Superior, debes comenzar visualizándote a ti mismo en un determinado lugar de la naturaleza que te ayude a viajar hacia arriba. Algunos chamanes utilizan el Árbol de la Vida y trepan por sus ramas hasta el Mundo Superior. Otras formas tradicionales de viajar al Mundo Superior consisten en trepar por una cuerda o una escalera de mano, saltar desde la cima de una montaña, elevarse con un tornado o torbellino, escalar por un arcoíris, dejarse llevar por el humo de una fogata o de una chimenea o encontrar un ave que te lleve. Hoy en día algunas personas viajan al Mundo Superior en globo aerostático, otros van simplemente flotando hasta allí y otros, por último, piden a su animal de poder o espíritu guardián que les lleve allí arriba. Sea cual sea la forma en la que llegues al Mundo Superior, estará bien.

Pasarás por una transición que te indicará que has entrado en el Mundo Superior. Para algunas personas es una capa de nubes o de niebla. Se trata de una transición, no de una barrera, como en el cuento de *Las habichuelas mágicas*, en el que el chico trepa por la planta de habichuelas y tiene que atravesar una capa de nubes para entrar en un mundo nuevo. De igual modo, en *El mago de Oz*, Dorothy viaja a otro mundo en un tornado, que es una experiencia habitual en el chamanismo. De hecho, hay muchos cuentos infantiles que tratan de viajes a la realidad no ordinaria y que coinciden con la práctica del chamanismo tradicional.

Cuando hayas dejado atrás esta transición, llegarás al primer nivel del Mundo Superior. Si sigue viendo planetas y estrellas mientras viajas hacia arriba, es que todavía no has alcanzado el Mundo Superior. Una vez más, sabrás que has llegado por la sensación de haber atravesado un umbral permeable de algún tipo, después de lo cual el paisaje cambiará.

Aunque en muchas tradiciones chamánicas se considera que los mundos superior e inferior contienen un número determinado de niveles, muchos nos hemos encontrado con un número ilimitado, ya que el universo es en sí mismo ilimitado. Todos los niveles tienen algo especial que enseñarte y está en tu mano explorarlos.

El Mundo Medio

El Mundo Medio es la dimensión espiritual de nuestro mundo físico. Viajar al Mundo Medio es un método de comunicación con los espíritus que viven en todas las cosas presentes en la realidad física. Tradicionalmente los chamanes han viajado al Mundo Medio para encontrar objetos perdidos o robados, para comulgar con la naturaleza o para realizar un trabajo de curación a distancia. Otro maravilloso viaje al Mundo Medio es un viaje a la Luna para preguntar acerca de los diferentes ciclos y fases lunares y sobre el modo en que afectan a tus sentimientos y a tu comportamiento. De esta manera puedes aprender a realizar cambios en tu vida respetando tus ciclos naturales, lo cual te proporcionará una mayor sensación de bienestar. También puedes hablar con el sol, las estrellas y los elementos de la naturaleza, cada uno de los cuales tiene mucho que enseñarte acerca de cómo puedes restablecer el equilibrio en tu vida.

Cuando viajas al Mundo Medio, lo haces en el momento presente, recorriendo nuestro paisaje físico. Simplemente visualízate a ti mismo saliendo por la puerta de tu casa y caminando hasta el jardín o viajando por el espacio, muy deprisa, para encontrar algo que has perdido o para llegar a un lugar distante. Puedes realizar un viaje al Mundo Medio para encontrarte con las plantas y las piedras del lugar en el que vives, para saber más sobre ellas y llegar a un equilibrio con ellas.

George Washington Carver fue un reconocido botánico que adquirió todos sus conocimientos sobre el cultivo de las plantas caminando por el bosque y hablando con ellas. Los chamanes también han hablado siempre con los animales y las plantas dentro y fuera de sus viajes, para saber más cosas sobre la naturaleza, sus ciclos y ritmos, así como sobre el ambiente en el que viven. Sin embargo, no confíes exclusivamente en tus viajes al Mundo Medio para conectar con la naturaleza. También tienes que pasar tiempo al aire libre, en comunión con la naturaleza y, con suerte, tus viajes te inspirarán para hacerlo.

Puede resultar algo complicado trabajar con el Mundo Medio, pues habitan allí muchos tipos distintos de espíritus. Algunos son almas de personas que tuvieron una muerte traumática y no lograron cruzar al otro lado; a veces, ni tan siquiera saben que son almas de difuntos. Para ayudarles, deberás recibir una preparación más específica de la que puede ofrecerte este programa. De hecho, existe toda un área de la disciplina chamánica llamada trabajo de psicopompo, que incluye métodos para ayudar a las almas a completar el proceso de tránsito al otro lado. No obstante, está bien viajar para hablar con el espíritu de un árbol o cualquier otra planta, de un río o del viento, o para conocer a las hadas, los devas y los elfos que viven en el Mundo Medio.

En tus viajes puedes optar por viajar al Mundo Inferior, al Mundo Medio o al Mundo Superior. Puedes entablar conversación con los espíritus con los que te encuentres o simplemente seguir adelante. Cuando emprendas un viaje chamánico, es importante que comprendas que tienes el control completo de dónde vas y de con quién hablas. Parte de la exploración y de la maravilla de la realidad no ordinaria consiste en descubrir las características de los distintos territorios —incluida la variedad de paisajes— y conocer qué espíritus viven allí. Nuestros espíritus tutelares tienen la capacidad de viajar entre los mundos y pueden acompañarnos en nuestros viajes para ofrecernos ayuda y transporte, sin importar adónde viajemos.

Por último, no existen reglas establecidas que definan lo que experimenta la gente cuando viaja a cada mundo, aunque describiré algunas de las experiencias más frecuentes para ayudarte a comprender las diferencias entre mundos. No obstante, es esencial que confíes en tu propia experiencia, en lugar de tratar de replicar las vivencias de otros, y recuerda que las experiencias de todas las personas son válidas por igual.

3

ANIMALES DE PODER
Y MAESTROS

A medida que vayas profundizando en la práctica del viaje chamánico, irás encontrando muy diferentes espíritus de ayuda. Existen dos tipos principales de espíritus tutelares a los que los chamanes consultan y con los que trabajan en sus viajes: animales de poder, también conocidos como espíritus guardianes, y maestros de forma humana. Los animales de poder y los maestros están presentes tanto el Mundo Inferior como en el Superior.

Lo habitual es tener uno o dos animales de poder, espíritus guardianes o maestros principales, que trabajarán contigo de manera continuada sobre las cuestiones centrales de tu vida. Por otro lado, algunos animales de poder y maestros compartirán contigo enseñanzas y habilidades específicas y después se marcharán, apareciendo nuevos espíritus de ayuda para ocupar su lugar. Con el tiempo, aprenderás a confiar en tus espíritus de ayuda —tanto en los principales como en los temporales— y a entregarte a ellos en busca de orientación y consejo. Te acompañarán en tus viajes durante toda la vida.

Animales de poder y espíritus guardianes

En las culturas chamánicas existe la creencia de que, cuando nacemos, el espíritu de al menos un animal se ofrece voluntario para protegernos y guiarnos durante toda la vida: ese es nuestro animal de poder. Cuando una persona conoce de forma consciente a su animal de poder, puede comunicarse con él directamente y pedirle ayuda y orientación cuando se encuentra en viaje chamánico. Cualquier persona recibe el apoyo invisible de su animal de poder, aun sin ser consciente de ello. Algunas personas hablan de contar con toda una cuadrilla de animales a su alrededor, si bien lo más habitual es tener uno o dos animales de poder principales y otros espíritus animales de ayuda más periféricos.

Tu animal de poder representa a toda la especie del animal que te protege y ayuda. Es decir, el espíritu que te protege no es el de un águila, una ardilla o un canguro determinado. Cuentas con la protección del espíritu de la especie entera de águila, canguro o ardilla. Es muy frecuente tener a una criatura mitológica como animal de poder, como un caballo alado o un unicornio. También es posible que un animal extinto se presente como animal de poder, ya que el espíritu de una especie animal es eterno. Por consiguiente, no es inusual tampoco contar con la protección de un dinosaurio; por ejemplo, un estegosaurio.

Hoy en día existen multitud de libros sobre el simbolismo espiritual de los distintos animales. Dado que el chamanismo se basa en la revelación directa, es preferible no confiar en la interpretación que hacen otras personas de los animales que encontrarás en tus viajes. Si no reconoces la especie del animal que acabas de conocer, ni por su aspecto ni por su comportamiento, puedes consultar algún libro sobre animales para identificarla. No obstante, el hecho de consultar un libro sobre la simbología de un espíritu animal en particular no te ayudará a descubrir las cualidades espirituales únicas que el animal te ofrece. Para descubrir esa información, es mejor que preguntes directamente al animal por las dádivas, las cualidades y el apoyo que pone a tu disposición.

En los talleres que imparto, he oído a menudo decir a los estudiantes que, en un viaje, un elefante se ha presentado ante ellos como animal de poder. Cuando les pregunto qué les ha enseñado el animal, muchos estudiantes me dicen que el elefante les ha dicho: «Voy a enseñarte a relajarte». Sin embargo, no encontrarás en ningún libro sobre simbología que el elefante represente un mensaje de «relajación».

A este respecto, a finales de los años ochenta recibí una profunda enseñanza cuando impartía cursos. A menudo, la gente que acude a mis talleres y conferencias me lleva un regalo. Sin embargo, hubo una época concreta en la que recibí un mensaje contundente a través de una serie de regalos que, en un principio, no entendí. Para empezar, llegué al taller y recibí dos regalos que representaban un búho —una pluma de búho y un fetiche de búho. Los fetiches tienen su origen en la tribu Zuni y son pequeñas figuras talladas, imbuidas del poder de un determinado animal.

Pensé que era extraño que recibiera dos regalos relacionados con búhos, pues nunca había dicho que el búho fuera un espíritu de ayuda en mi caso. ¡Pero aquello era solo el principio! Al mes siguiente siguieron llegándome regalos representativos de búhos. Y la avalancha de búhos culminó con una máscara artesanal que uno de los estudiantes había hecho para mí. Había, evidentemente, un mensaje en todo aquello, pero no sabía cuál era.

Viajé hasta encontrarme con mi espíritu guardián principal, con el que había estado trabajando desde 1980. Le pregunté por qué motivo tanta gente me estaba regalando búhos y por qué había entrado ese animal en mi vida. Me respondió que el búho no solo ve en la oscuridad, sino que además tiene un tipo especial de radar que muy «pronto» yo necesitaría. Entonces el viaje terminó de forma brusca. Dado que los viajes chamánicos están fuera del tiempo, la palabra «pronto» podía representar un futuro lejano, de modo que no pensé que el motivo de la entrada en mi vida del búho me fuera a ser revelado en un futuro cercano.

Un par de semanas más tarde, estaba impartiendo un taller en Saint Louis. El curso terminaba el domingo por la tarde y había clientes que tenían sesión conmigo en Santa Fe el lunes por la mañana temprano, de modo que tomé un vuelo esa misma noche, ya tarde, para volver a casa. De repente, en pleno vuelo, todas las luces de cabina se apagaron en el avión y la tripulación comenzó a pasear por los pasillos con linternas. Pensé que todo era para dejar dormir a los pasajeros.

Poco después, el piloto habló por los altavoces para aclarar al pasaje lo que ocurría, porque pensaba que todos nos lo estaríamos preguntando. En realidad, yo no había vuelto a pensar en ello en absoluto, pero entonces empecé a alarmarme. Nos dijo que el avión había sufrido un cortocircuito eléctrico y que volaba sin luces, ni dentro de cabina ni por fuera. Además, íbamos a atravesar una tormenta eléctrica y el radar que podía ayudarnos a atravesarla no funcionaba.

Inmediatamente recordé todos esos regalos relacionados con búhos que había recibido y la respuesta que me había dado mi espíritu guardián unas semanas antes, cuando me dijo que el búho representaba un tipo especial de radar que iba a necesitar pronto. Por suerte, el avión aterrizó sin problemas y estoy segura de que la presencia del búho fue una de las razones por las que llegamos a nuestro destino sanos y salvos. Aquella fue una profunda enseñanza sobre el modo en que el universo estaba cuidándome: se había anticipado a la ayuda que iba a necesitar y me la había proporcionado.

Ahora bien, si hubiera consultado uno de esos libros tan populares de simbología y hubiese buscado el significado espiritual del búho, quizá hubiese encontrado algo sobre transformación, pero seguramente nada sobre radares o sobre el hecho de que iba a necesitar ese regalo concreto del búho en un futuro no muy lejano. Lo que aprendí es que, cuando no reflexionamos sobre nuestros viajes para encontrar el significado de nuestros animales de poder y sus mensajes, a menudo pasamos por alto las enseñanzas únicas y valiosísimas que nos están ofreciendo. Así pues, es importante no recurrir a otros para interpretar las enseñanzas espirituales asociadas a nuestros animales de poder —es decir, entre tu animal de poder y tú. Además, es posible que lo que tienen para ofrecerte no coincida con tus ideas preconcebidas sobre sus particulares habilidades y capacidades.

También es importante que seas consciente de tus ideas sobre el alcance del poder de los diferentes animales. En mis talleres he visto a gente deprimirse porque su animal de poder es una ardilla, en lugar de algún otro animal que ellos consideran más imponente y poderoso, como un oso o un águila. Sin embargo, en la realidad no ordinaria una especie animal no tiene más poder que otra. Todos los animales de poder tienen poderes extremos y cada uno de ellos tiene enseñanzas únicas y a menudo inesperadas que ofrecernos. Un ratón tiene tanto poder como un león, pero cada uno de ellos tiene algo diferente que enseñarnos.

Los árboles y los seres como elfos y hadas también pueden ser espíritus de ayuda. Dado que los espíritus de los árboles y seres como los elfos no son animales, podemos referirnos a ellos como espíritus guardianes. Las plantas no suelen considerarse espíritus guardianes, pero son utilizadas por chamanes de todo el mundo por sus propiedades curativas.

En las culturas chamánicas tradicionales, la vida en comunidad era muy importante. El proceso de individuación que, hoy en día, consideramos tan importante en nuestra cultura no era tan esencial en las culturas indígenas, pues era necesario que cada individuo contribuyera a la comunidad para garantizar la supervivencia de esta. En algunas culturas las personas pertenecían a clanes en los que un animal de poder se ofrecía para ayudar a todo el grupo o comunidad de personas. De igual modo, en viajes chamánicos que he realizado para otras personas, me he encontrado a menudo con que parejas, familias e incluso organizaciones y empresas tienen un animal de poder que les ayuda en la realidad no ordinaria.

En ocasiones, en algunos viajes, me he encontrado con que algunos mamíferos muestran una conducta amenazadora para demostrar cuánto poder tienen. No es inusual encontrarse con un oso como animal de poder poniéndose de pie sobre sus patas traseras en actitud amenazante para manifestar su poder. Si te ocurre esto, te sugiero que le preguntes cuál es la enseñanza que desea ofrecerte sobre la fuerza y el poder.

Con relación a la aparición de animales en los viajes, existe un aspecto que genera confusión y que me gustaría abordar. Se trata de los animales portadores de veneno y que habitualmente pican, muerden o envenenan a los humanos. Insectos como hormigas, abejas y arañas pueden ser animales de poder, aunque si los percibes pululando por un área concreta del cuerpo puede que estén señalando una enfermedad. Por ejemplo, cuando un chamán entra en un estado alterado de consciencia y mira en el interior de su cliente, puede ver, por ejemplo, un reptil mostrando sus colmillos o un grupo localizado de hormigas. De igual modo, serpientes y lagartos pueden ser animales de poder, pero si enseñan los colmillos o sisean en tu dirección o hacia ti, puede que sean un signo de enfermedad. Existen excepciones, en las que la mordedura de un animal significa transmisión de poder. Por ejemplo, cuando me encontré por primera vez con la cobra blanca, que es uno de mis espíritus de ayuda, me mordió en el cuello; esta fue su forma de compartir su poder y de transmitirme su energía curativa. He conocido a otros viajeros que han tenido la misma experiencia con cobras. Lo importante es entender que el animal que ha aparecido ante ti se presenta para ayudarte. Por ejemplo, algunas personas tienen una araña grande y fuerte como animal de poder. Sin embargo, esto es muy distinto a ver miles de arañas pululando sobre el hígado de alguien.

Cuando practicas el viaje chamánico, tu intención da pie a que los espíritus sepan lo que estás pidiendo que te muestren. Cuando abordas un viaje en el que tu intención es encontrar a un animal de poder o espíritu guardián, eso es lo que se te mostrará; nada de enjambres de insectos. Cuando el chamán viaja con la intención de que se le muestre la identidad espiritual de una enfermedad, a veces aparecen insectos o reptiles con colmillos, alertando al chamán sobre la localización de la enfermedad en el cuerpo del cliente.

Una última cosa que hay que tener siempre presente es que no debes presumir de la identidad de tu animal de poder. Como ya dije, en el chamanismo, cuando alguien alardea de su poder, lo pierde.

Maestros con forma humana

Los demás tipos de espíritus de ayuda con los que trabajan tradicionalmente los chamanes se denominan maestros con forma humana. En una sociedad chamánica tradicional, serían los diosas y dioses de esa cultura, así como espíritus de ancestros. En nuestros días, la gente se encuentra también con otro tipo de maestros, entre ellos figuras religiosas, como Jesucristo, la Virgen María o Buda. Otras personas conocen a personajes históricos inspiradores, tales como Einstein o Hildegard von Bingen. Muchas personas cuentan que tienen como maestro a un pariente fallecido, como una abuela o un abuelo. Otros se reúnen con dioses y diosas, como Isis, Osiris y Hermes.

Es importante mantenerse abierto a las numerosas formas de maestros que pueden presentarse ante nosotros. Por ejemplo, podrías encontrarte con un niño que se presenta como maestro. O, si estás viajando por una cuestión concreta, puede que encuentres un espejo, que significa que vas a ser tu propio maestro en lo concerniente a ese problema en particular.

Yo tengo el mismo espíritu guardián principal desde 1980, pero he conocido también otros espíritus de ayuda que me han brindado temporalmente su apoyo en distintos momentos de mi vida, y después se han ido. También tengo a mi alrededor animales de poder que me ayudan y me ofrecen su apoyo en general, pero con los que no me comunico de manera regular. Y también se han aparecido ante mí diferentes maestros con forma humana, aunque mi maestra principal es la diosa Isis, con quien me encontré por primera vez en 1986, en un viaje visionario.

Mi espíritu guardián es el que lleva a cabo las curaciones chamánicas en mis viajes para ayudar a otras personas. También me ayuda a encontrar respuesta a cuestiones de mi vida personal. Isis responde personalmente a las preguntas que me hago y también me ayuda cuando escribo libros, cuando imparto algún taller y cuando doy una conferencia.

Como ocurre con los animales de poder, los maestros son fuente de curación y sabiduría en la vida.

Por ejemplo, Nancy, una de mis estudiantes, experimentó una profunda sanación gracias al trabajo continuado con su maestro. De niña había sido víctima de malos tratos y sufría depresión, razón por la cual tomaba medicación. Cuando comenzó a practicar el viaje chamánico, conoció a su maestro, que era el rey Jacobo IV de Escocia. Nancy era maestra de escuela, de modo que decidió investigar un poco para saber algo más acerca de la vida del rey Jacobo.

Encontró muchos libros sobre su vida y en su investigación descubrió que, de niño, el rey había sufrido malos tratos de manos de su padre. Supo que se había curado solo, superando los traumas de la infancia, y así se dio cuenta de que ella también podía curarse. Leyendo su historia y viajando hasta él, Nancy dejó por fin atrás su pasado y lleva años sin depresión y sin tomar antidepresivos.

Otra estudiante, Isabel, estaba planeando unas vacaciones a Hawái con su marido. Realizó un viaje chamánico para encontrarse con su maestro y le preguntó si había algo que tuviera que saber antes de ir a Hawái. Su maestro le dijo que llevara cuerda.

Evidentemente, a Isabel le sorprendió el consejo, ya que no entraba en sus planes acampar ni escalar montañas en Hawái. Le habló a su marido y a algunos amigos sobre el consejo que había recibido de su maestro y ellos simplemente se rieron. Pero, aun así, ella decidió llevarse la cuerda, y metió una en su bolsa de mano. Ya en Hawái, Isabel y su marido hicieron una excursión por una conocida senda, en un área en la que había llovido mucho y se habían producido varios aludes de barro. En un punto de la senda resbalaron y quedaron atrapados y entonces Isabel usó la cuerda para trepar hasta un lugar seguro.

De forma similar al modo en que el búho llegó a mi vida, es decir, antes de que necesitara su ayuda, este es otro ejemplo de la manera en la que un espíritu de ayuda puede guiar a una persona para protegerla de un acontecimiento futuro. Estas experiencias son una demostración de que nuestros espíritus de ayuda nos aman y cuidan de nosotros.

Sobre tus espíritus de ayuda

Los animales de poder, los espíritus guardianes y los maestros son conocidos como espíritus de ayuda. En ocasiones, los espíritus de ayuda se mostrarán ante ti cansados o enfermos. Es importante recordar que son espíritus, de modo que no se cansan ni enferman. Puede que estén representando tu propio estado físico o emocional. También es posible que estén poniéndote a prueba para ver si les ofreces ayuda y amor. Es una muestra de la lealtad y del compromiso que hay que alimentar hacia ellos en agradecimiento a todo lo que ellos te dan.

Lo animales de poder y los espíritus guardianes no tienen celos los unos de los otros. A veces, en un viaje, puede que veas a dos de tus animales de poder luchando. Conviene recordar una vez más que son espíritus y que, cuando se muestran a sí mismos peleándose entre ellos, lo más probable es que estén representando algo que está ocurriendo en tu vida y a lo que es necesario que prestes atención. Pregúntales qué es lo que están tratando de comunicarte con su comportamiento, de modo que puedas aprovechar la lección que pretenden darte a conocer.

Es importante encontrar un animal de poder o espíritu guardián en el que puedas confiar, que sepa ser tu guía en tus aventuras en la realidad no ordinaria y que pueda responder a tus preguntas. Si ves o sientes un espíritu y no estás seguro de que sea un espíritu de ayuda, debes evitarlo, del mismo modo que esquivarías a un insecto o reptil si vas andando por el bosque. Viajar es muy seguro y es importante comprender que, en todo momento, tú tienes el control sobre el lugar por el que viajas y sobre los espíritus con los que interactúas.

Tradicionalmente los chamanes se funden con sus animales de poder y sus maestros a través de danzas y cantos rituales. Se considera un ofrecimiento generoso invitar a nuestros espíritus de ayuda a moverse a través de nuestro cuerpo, pues ellos no están encarnados y no pueden experimentar el placer de la realidad física por sí solos. Esta práctica de los chamanes es una manera de conectar con el poder de sus espíritus de ayuda y de honrarlos, permitiéndoles «bailar con su cuerpo».

Te recomiendo que pienses en cuál es la mejor forma de honrar a tus espíritus de ayuda, a tu manera. Al hacerlo, verás que permanecen contigo más tiempo que si ignoraras su presencia y sus intentos por ayudarte en tu vida espiritual. Una forma de honrar a tus espíritus protectores consiste en escribir un poema sobre ellos o hacer un dibujo de ellos. Yo, a veces, cuando viajo a la realidad no ordinaria, les llevo una cesta de pícnic y les ofrezco comida. En este tipo de viajes, mi intención es simplemente darles las gracias y no les hago ninguna pregunta ni les pido nada. Esta es mi manera de agradecerles toda la ayuda que me han dado durante mis veinte años de práctica del viaje chamánico.

No existe acuerdo intercultural acerca de si es o no apropiado compartir la identidad de tus espíritus de ayuda con otras personas. En algunas culturas, todos los integrantes de la comunidad conocen la identidad de los espíritus protectores de cada uno de sus miembros. Sin embargo, yo sugeriría que viajaras para encontrarte con tus espíritus de ayuda y les preguntases personalmente qué les parece a ellos mejor. En mi caso, algunos de mis espíritus de ayuda me dicen que les parece bien que comparta su identidad con el público, de modo que escribo sobre ellos y hablo de ellos en mis conferencias, pero mi animal de poder principal me ha dicho que es mejor que mantenga su identidad solo para mí. Por otro lado, a veces resulta beneficioso compartir la identidad de tus espíritus de ayuda para explicar tu práctica espiritual a otras personas, pero recomiendo que pidas antes permiso.

Los animales de poder y los maestros viven en el Mundo Inferior y en el Superior. Puedes realizar viajes de exploración como parte de tu práctica chamánica para conocer a diferentes animales de poder y maestros en distintos niveles de ambos mundos. Los animales de poder y los maestros pueden viajar entre todos los mundos y pueden acompañarte en tus viajes chamánicos allá donde vayas. También puedes llamarlos para que acudan al Mundo Medio cuando sientas que necesitas su protección o ayuda.

Por ejemplo, pongamos que te sientes nervioso porque estás a punto de tener una reunión difícil. Con intención clara, llamas a tus animales de poder y maestros y les pides que te acompañen durante la reunión para guiarte y disminuir tu ansiedad. O, si estás a punto de ponerte al volante y sientes inquietud, puedes llamar a tus espíritus de ayuda y pedirles su protección y ayuda para llegar a casa sin problemas.

Utilizo esta técnica muy a menudo en mi vida diaria. Por ejemplo, me pone muy nerviosa volar, y paso mucho tiempo en aviones. Cuando me subo a un avión, realizo un particular ejercicio de meditación en silencio, para sentirme más tranquila. Pido en silencio que todos mis animales de poder, maestros y espíritus de ayuda se unan a mí en el avión para garantizar un vuelo seguro y sin contratiempos durante todo el trayecto hasta mi destino. Asimismo, pido que los animales de poder, maestros y espíritus de ayuda de la tripulación y del resto de pasajeros acudan también para que el vuelo sea bueno y seguro para todos. Desde el punto de vista chamánico, todo está vivo y tiene espíritu, de modo que también puedo llamar a los animales de poder y espíritus de ayuda del avión para que estén presentes y garanticen un vuelo seguro.

La relación de cada persona con sus espíritus de ayuda proporciona protección frente al fenómeno habitual de *burnout*. Desde el punto de vista de la energía, cuando estás en contacto cercano con otras personas, puedes «recoger» sus sentimientos y pensamientos. Si estás con alguien que necesita ayuda o apoyo, puedes incluso sentir cómo «tira» de tu energía. El chamanismo nos enseña a estar plenamente presentes con alguien sin que su sufrimiento nos reste energía, pues ello puede conducir a *burnout*, es decir, puede «quemarnos» e incluso llevarnos a enfermar. En esta situación, una práctica chamánica clásica es pedir en silencio a tu animal de poder o maestro que te llene de poder y te otorgue fuerza antes de reunirte con alguien que necesita tu apoyo.

De este modo, no quedas expuesto al intercambio invisible que tiene lugar en un plano energético, en el que parte del otro se transfiere a ti. También puedes utilizar este método antes de entrar en una sala o en una calle abarrotada de gente, con objeto de mantenerte energéticamente intacto.

Esta técnica de llamar a tus espíritus de ayuda para que acudan al Mundo Medio no es lo mismo que emprender un viaje chamánico a mitad del día o cuando estás ocupado en tu vida ordinaria. Hay momentos en los que es apropiado viajar y otros en los que no lo es. De hecho, los chamanes tradicionales realizan ceremonias y rituales antes de realizar sus viajes y son muy cuidadosos en cuanto al momento que eligen para viajar a la realidad no ordinaria para ponerse en contacto con sus espíritus de ayuda. Las personas que no pueden seguir la disciplina de entrar y salir deliberadamente de la realidad no ordinaria, no practican el chamanismo: entran en el mundo de la psicosis. Las personas psicóticas no saben en qué mundo están. Por el contrario, el viaje de un chamán es siempre deliberado, tiene un propósito y una intención.

Cuando comiences a practicar la técnica del viaje chamánico con regularidad encontrarás que los espíritus de ayuda con los que trabajas pueden proporcionarte todo tipo de asistencia. Por supuesto, debes asumir la responsabilidad de las elecciones que hagas en tu vida. Tus espíritus de ayuda no lo harán todo por ti. No obstante, verás que realmente te apoyan mientras tú sigues avanzando por el camino de tu alma.

4

PREPARACIÓN DEL VIAJE

Tradicionalmente, los chamanes han creado ceremonias y rituales en torno a sus viajes. Ellos solo viajan con intencionalidad y propósito. Se toman su tiempo para prepararse y cantan y danzan, con el fin de despejar la mente y poder convertirse en un «hueso hueco», una «caña vacía», un auténtico instrumento del poder del universo.

Cuando estés preparado o preparada para emprender tu primer viaje, asegúrate de que tienes una intención y un propósito claros para tu viaje. Incluso si lo único que deseas es explorar el Mundo Inferior, el Mundo Medio o el Mundo Superior, asegúrate de que tienes claro que ese es tu propósito. Si tienes una pregunta en la cabeza, repite la pregunta varias veces. Si simplemente te tumbas y escuchas el sonido de los tambores sin ninguna intención establecida, puede que tengas un viaje poderoso, aunque muchas personas refieren que, cuando viajan sin una intención clara, sus viajes son confusos y desarticulados. La clave de toda práctica espiritual —ya sea viaje chamánico o meditación— es la concentración. Es importante aprender a concentrarse durante los viajes y a no distraerse con el parloteo mental o con las preocupaciones de la vida ordinaria.

Es también esencial que determines cuál es, para ti, el mejor momento del día para viajar. Tendrás que probar, para encontrar los momentos del día en los que puedes concentrarte mejor, cuando estés fresco y tengas la mente despejada, no abarrotada de un montón de menudencias. Para muchas personas el mejor momento para viajar es por la mañana, antes de adentrarse en la ajetreada vida diaria. El final de la tarde no suele ser un buen momento. La gente, a menudo, se queja de que sus viajes a esa hora del día resultan fragmentados y confusos. Algunas personas prefieren viajar justo antes de irse a la cama por la noche. Yo, cuando viajo para un cliente, puedo hacerlo a cualquier hora del día, pero cuando lo hago para mí misma, suelo tener viajes más nítidos por la mañana, antes de que la vida cotidiana me saque de ese espacio sereno que sigue al sueño.

No existe ninguna creencia transcultural compartida sobre qué tipo de dieta es más favorable para el viaje chamánico. Es verdad que, en muchas culturas, los chamanes siguen una dieta especial antes de realizar ciertas ceremonias y trabajos de curación. En realidad, cada persona tiene que buscar lo que le funcione mejor, y me refiero a alimentos que aumenten o reduzcan su capacidad de concentración. En general, yo encuentro que el alcohol interfiere en el mantenimiento de la concentración y el estado de alerta cuando viajas. Además, si realizas una comida pesada antes de tu viaje, el cuerpo estará ocupado con la digestión y puede que te cueste concentrarte y mantener tu mente alerta. A algunas personas la cafeína parece ayudarles a concentrarse en su día a día, aunque, según mi experiencia, un poco de cafeína puede ayudar en los viajes, pero demasiada cantidad «cierra las cortinas» entre la realidad no ordinaria y uno mismo.

Te sugiero que busques un lugar cómodo y tranquilo para tu viaje, donde nada vaya a interrumpirte. Apagar el móvil es una medida muy útil. Puedes viajar en posición tumbada o sentada. Recuerda que tendrás un viaje más nítido si estás despierto, de modo que tampoco te pongas demasiado cómodo, o corres el riesgo de quedarte dormido.

Una vez que hayas encontrado el lugar adecuado, puede que desees bailar, cantar, recitar o hacer algún otro tipo de ejercicio para poner en movimiento el oxígeno por tu sistema. Esto abrirá tu corazón y te ayudará a tener sensación de unidad con la vida. El movimiento, la danza, los cantos y las canciones ayudan a romper las barreras egoístas que pueden impedir un viaje nítido. Además, los espíritus se comunican con nosotros a través de nuestro corazón y, en los viajes, «vemos» con el corazón. De modo que es beneficioso respirar para oxigenar el corazón y que se abra de manera plena. Yo enseño a las personas a las que les cuesta concentrarse durante sus viajes a centrarse en la respiración profunda que llega hasta el corazón: la gente siempre obtiene buenos resultados cuando añade este paso a su ejercicio de concentración. De modo que, si pierdes la concentración mientras estás viajando, o si sientes que no estás experimentando nada, detente a considerar si estás respirando con el corazón. Repítete a ti mismo cuál es la intención de tu viaje y lo que estás pidiendo, hasta que te vuelva la concentración y te encuentres de nuevo en la senda.

Una de las principales definiciones de chamán es «aquel que ve en la oscuridad». Es mucho más fácil viajar en total oscuridad. Por ello, algunas personas cierran cortinas y persianas para dejar la habitación a oscuras. También puedes taparte los ojos de alguna manera, con un pañuelo, un antifaz para dormir o algo similar. Haz lo que te resulte más cómodo.

Una vez más, realiza unas cuantas respiraciones profundas antes de empezar y durante tu viaje, para favorecer una experiencia más nítida. Antes de comenzar a escuchar el audio de sonido de tambores, deja clara cuál es tu intención. Repítela tantas veces cuantas sea necesario para centrarte en el propósito de tu viaje y tenerlo claro. Visualiza tu punto de inicio en la naturaleza, desde el que partirás hacia el Mundo Inferior o el Mundo Superior. Si estás viajando por el Mundo Medio, visualiza la puerta por la que saldrás.

Recuerda que tienes pleno control sobre dónde vas, con quién hablas y cuándo regresas del viaje chamánico. Viajar no es como un sueño que se tiene cuando uno duerme y durante el cual no puedes controlar lo que te está sucediendo, a menos que hayas estudiado la técnica de los sueños lúcidos. Si estás teniendo una pesadilla, por ejemplo, estarás atrapado en ella, sin posibilidad de ponerle fin. Esto no sucede nunca en un viaje chamánico.

En un viaje chamánico puedes elegir entre ir al Mundo Inferior, al Mundo Medio o al Mundo Superior. Puedes elegir entre entablar conversación con un espíritu o seguir adelante. Sin embargo, no puedes elegir qué espíritu de ayuda va a ofrecerse para ayudarte, aunque puedes mantener la intención de querer encontrar un tipo particular de espíritu de ayuda que ya conociste en un viaje anterior. Déjate sorprender.

El papel del tambor en el viaje chamánico

En las distintas culturas, la mayoría de los chamanes utilizan el sonido monótono o rítmico de tambores para alterar su estado de consciencia cuando viajan. En ciertas tradiciones también se utilizan maracas, palos y campanillas. En Australia, los chamanes utilizan el didyeridú y los palos de percusión. Los sami de Laponia y Noruega utilizan tambores o un tipo particular de canto monótono llamado *yoik*. Los sonidos monótonos generados por estos instrumentos sitúan al chamán en un estado alterado de consciencia y le permiten viajar con éxito a los mundos invisibles.

Hoy en día existen instrumentos científicos que pueden medir la actividad cerebral durante los estados alterados de consciencia. En un estado de consciencia ordinario, nuestras ondas cerebrales se encuentran en lo que los científicos denominan *estado beta*. Sin embargo, cuando escuchamos el sonido monótono de los tambores, los científicos han descubierto que nuestras ondas cerebrales se frenan. Primero se ralentizan hasta el *estado alfa*, que señala el inicio del *estado de meditación*. Después las ondas se ralentizan aún más, pasando al *estado theta*. Este es el estado de ondas cerebrales en el que tiene lugar el viaje chamánico, aquel en el que es posible explorar los mundos invisibles y tener contacto con nuestros espíritus de ayuda.

Se puede viajar sin escuchar el sonido de un tambor, aunque si conviertes en un hábito el escuchar un sonido de percusión u otra música que ayuda a alterar el estado de consciencia, te centrarás mejor en la práctica chamánica. Puedes seguir recibiendo percepciones intuitivas y espontáneas a lo largo del día, pero es importante que crees una rutina de práctica chamánica. De esta manera garantizas que tus viajes chamánicos quedan claramente separados del resto de vivencias del día.

Ciertas tradiciones chamánicas incluyen el uso de plantas psicotrópicas (con principios alucinógenos), lo que popularmente se conoce como «plantas visionarias». Existen muchas plantas psicotrópicas originarias del Amazonas y de otras áreas de América del Sur, que los chamanes utilizan para curar o ayudar a la comunidad en su labor de orientación espiritual. Existe asimismo evidencia de que setas psicotrópicas y otras plantas han sido utilizadas en diversas culturas para este mismo fin. Se trata, evidentemente, de un tema controvertido que ha sido objeto de debate entre los antropólogos.

Sin embargo, dado que los chamanes han utilizado también tradicionalmente tambores, maracas y otra formas de percusión en sus viajes, considero que el sonido de un instrumento de percusión es el acompañamiento más eficaz, apropiado y fácilmente adaptable a la cultura actual. Dado que seguimos confiando en la práctica del chamanismo para ayudar a resolver los problemas actuales, debemos estar seguros de que los métodos que utilizamos son apropiados y seguros para la gente de nuestro tiempo.

Los chamanes tradicionales desarrollaron sus propios ritmos de percusión para favorecer sus viajes a la realidad no ordinaria, pero Michael Harner descubrió que el sonido rítmico de un tambor es la mejor manera de enseñar a los principiantes a viajar. Por ello, los audios que acompañan al libro en el código QR de la página 119, al final de este texto reproducen un ritmo monótono.

La primera pista del audio, de doce minutos de duración, comienza con unos minutos de silbidos y maracas, para ayudarte a preparar el escenario. Estos sonidos de introducción sirven de llamada a nuestros espíritus de ayuda. El audio incluye también pistas de sonido de tambor más largas, pudiendo escoger entre: una pista de veinte minutos de doble sonido de tambor o una pista de treinta minutos de sonido simple de tambor. Te recomiendo que experimentes con cada pista para ver con cuál te sientes más cómodo o cómoda.

Construcción de tambor o maraca

Es fácil construir una maraca con material que se tiene habitualmente en casa. Si introduces unos granos de maíz o unas piedrecitas en un recipiente, ya tienes una maraca. Pero puede que quieras trabajar con materiales que produzcan un sonido placentero y que no te martiricen los oídos. A mí me gusta el sonido que hacen los granos de maíz y muchas de las maracas que me fabrico en casa son de este tipo. Sin embargo, en caso de apuro, puedes utilizar también un frasco con comprimidos para el dolor de cabeza o un bote de vitaminas, cuyo sonido me ha resultado igual de eficaz para viajar. También puedes salir a la naturaleza y buscar material con el que construir tu tambor o maraca: cualquier cosa puede ser sacralizada si existe intención.

Si optas por comprar un tambor o una maraca, puede que quieras buscar un sonido que te resulte agradable y que te ayude a entrar en un estado alterado de consciencia. A algunas personas les gustan los tonos bajos y a otras los altos. Cada tambor o maraca tiene un sonido diferente, de modo que pruébalos antes de comprarlos.

El clima afecta considerablemente al sonido de un tambor construido con piel de origen animal. Por ejemplo, la humedad hace que la piel del tambor se suelte, de modo que no obtendrás un sonido limpio. Tradicionalmente los chamanes han utilizado siempre el fuego ceremonial para secar el tambor cuando la piel estaba demasiado flácida para producir un sonido de calidad. Una solución moderna consiste en usar un secador de pelo para secar el cuero del tambor. Si el clima del lugar en el que vives es seco y caluroso, la piel se tensará, y el sonido será de tono alto. En tal caso, es importante encontrar la manera de humidificar la piel del tambor.

El tambor que he utilizado para grabar los sonidos que se reproducen en el código QR que acompaña al libro es un tambor Remo, fabricado con Fiberskin. Este tipo de material sintético mantiene su consistencia en cualquier clima. Al no estar confeccionado con pieles animales, los tambores Remo son además apropiados para aquellas personas que, por razones éticas, no deseen utilizar un tambor de piel animal. Aunque mi tambor es de fibra de poliéster, posee un espíritu fuerte, que realmente cobra vida cuando hago que suene.

Te recomiendo que pruebes diferentes ritmos y diferentes velocidades de sonidos de tambor y maracas para ver cuál es el que facilita en mayor medida tus viajes. Por ejemplo, algunas personas encuentran que necesitan un ritmo más lento, pues, de lo contrario, se sienten como si tuvieran que apresurarse en su viaje. Si encuentras un ritmo o una velocidad que te ayuda mejor que el sonido de tambor del audio que acompaña al libro, no dudes en grabar tus propios sonidos para utilizarlos luego para tus viajes. También te recomiendo que observes las diferencias entre escuchar el sonido de tambores del audio utilizando altavoces o auriculares. A veces las personas me cuentan que unos u otros les ayudan de forma más eficaz a tomar conciencia de su cuerpo y a concentrarse.

El sonido de tambor puede ser bastante relajante y cabe la posibilidad de que te quedes dormido si comienzas tu viaje estando demasiado cansado para concentrarte. Si te duermes mientras estás viajando, no hay peligro: de hecho, ¡te despertarás sintiéndote renovado!

De vuelta de tu viaje

Seguro que no quieres «salirte» de tu viaje antes de tiempo. Sin embargo, el hecho es que, a menudo, nuestro entorno es ruidoso, y tenemos que aprender a trabajar con ello. Yo estoy ya entrenada para que no me distraigan los ruidos que hay a mi alrededor cuando viajo. De hecho, he aprendido a profundizar más en mi viaje cada vez que oigo un ruido, de modo que no percibo los ruidos como un obstáculo. Si bruscamente me salgo del viaje y me siento desorientada, centro la atención en el sonido de tambor y regreso al punto del viaje en el que me encontraba.

Volver de un viaje chamánico tiene que ver con la voluntad pura, la intención y la elección. Siempre puedes realizar otro viaje en otro momento si no conseguiste toda la información que necesitabas o si quieres visitar otro reino de la realidad no ordinaria.

En el audio podrás comprobar que, mientras suenen los tambores, no te hablaré en ningún momento. Sin embargo, notarás un cambio en el sonido de tambor, que será la señal para que regreses de tu viaje. Si deseas regresar antes de la señal, simplemente di «Gracias» y «Adiós» a quienquiera que tengas delante y con quien estés dialogando y regresa por donde viniste. Deberás verte o sentirte regresando por el mismo camino, por el lugar desde el que saltaste o la puerta por la que entraste en la realidad no ordinaria. Regresa a la habitación en la que estás tumbado o sentado y quítate los auriculares o apaga el reproductor o el medio reproductor del audio.

No hace falta que esperes a oír la señal para regresar; sin embargo, muchas personas prefieren que el sonido de tambor les avise de que ha llegado el momento.

La señal para volver comienza con cuatro series de siete toques cortos. Una vez más, di «Gracias» y «Adiós» a quienquiera que tengas delante y con quien estés hablando. Incluso si no estás con un espíritu de ayuda, di «Gracias» y «Adiós». La razón de ello es que decir «Adiós» indica a tu psique que algo ha terminado. Decir «Adiós» te ayudará a sentirte más «en la tierra» cuando regreses de tu viaje. Recuerda que un chamán viaja a la realidad no ordinaria y regresa a la ordinaria con concentración y disciplina.

Después del cambio de ritmo de cuatro series de siete golpes cortos, oirás un tamborileo rápido durante aproximadamente un minuto. Vuelve entonces sobre tus pasos hasta el lugar de partida y a la habitación en la que estás tumbado o sentado. Oirás entonces una segunda serie de siete golpes cortos, que indican que tu viaje ha terminado. Descúbrete los ojos, si los tienes tapados, ábrelos y apaga el reproductor del audio de los sonidos.

Tras reflexionar tranquilamente sobre tu viaje, puede que quieras tomar notas sobre tu experiencia. El consejo más importante que puedo darte es que seas paciente con la técnica y comprensivo contigo mismo. No he conocido nunca a nadie que sea incapaz de viajar. Sin embargo, he conocido a muchas personas que han viajado muchas veces antes de sentir que algo estaba sucediendo. Te sugiero que practiques mucho. Relájate, respira profundamente hasta tu corazón, abre todos sus sentidos más allá de tu consciencia visual, establece una intención y, en nada, estarás viajando.

Desafortunadamente, vivimos en una cultura basada en la gratificación inmediata. Sin embargo, el viaje chamánico es una práctica espiritual ancestral sin destino, es decir, no existe un lugar al que debas llegar después de unos cuantos viajes, ni tan siquiera después de toda una vida viajando. En una ocasión tuve la oportunidad de conocer al chamán Ulcchi, de Siberia, cuando fue a Estados Unidos para trabajar con un grupo de estudiantes. Tenía noventa y tantos años cuando le conocí y llevaba viajando desde los diecisiete. Todavía se refería a sí mismo como un «bebé» en el trabajo. Este es un ejemplo perfecto de la genuina actitud de una chamán hacia el trabajo de viaje chamánico que hemos emprendido.

Una última advertencia: por favor, ¡no escuches ni intentes reproducir los audios de sonidos de tambor que acompaña al libro mientras conduces!

5

PREGUNTAS FRECUENTES SOBRE EL VIAJE CHAMÁNICO

¿Experimentaré mis viajes con todos los sentidos?

Cuando comiences a practicar el viaje chamánico, te darás cuenta de que uno o dos de tus sentidos son más fuertes en la realidad no ordinaria. Algunas personas son más clarividentes, lo cual quiere decir que ven escenas, imágenes y símbolos en sus viajes. Otras son más «clarioyentes», es decir, reciben los mensajes de sus espíritus de ayuda en forma de palabras o voces. Otras son más «clarisensitivas», en el sentido de que sienten la información en su cuerpo. Y muchas personas son una combinación de todo lo anterior. En mi caso, yo soy sobre todo «clarioyente» y confío en gran medida en los mensajes telepáticos que recibo de mis espíritus de ayuda. Además veo, siento, huelo y saboreo en mis viajes, aunque estas sean sensaciones menos pronunciadas.

En la literatura chamánica, te encontrarás a menudo con la expresión *visión chamánica*. Los chamanes ven con el corazón y no por medio de los ojos. Del mismo modo, los espíritus establecen contacto con nosotros a través de nuestro corazón, no de nuestra mente. Sin embargo, debido a la notable presencia de películas, televisión y ordenadores en nuestra cultura, nos hemos convertido en seres muy centrados en todo lo visual. Como resultado de ello, uno de mis mayores retos cuando enseño a viajar es conseguir que la gente deje de esperar que, en sus viajes, va a ver las cosas como si estuviera delante de la televisión o en el cine. Imagina no oír nunca voces, ni música, ni los sonidos de la naturaleza. Imagina no oler nunca los aromas de las comidas ni percibir su sabor, ni poder tocar ni sentir a los demás. La vida se enriquece enormemente cuando todos nuestros sentidos intervienen. Y lo mismo puede decirse a propósito de los viajes chamánicos. Desafortunadamente, en mis talleres, hay personas que piensan que no están viajando si no tienen una experiencia visual. De modo que hago lo posible por animarlas a despertar todos sus sentidos cuando se encuentran en la realidad no ordinaria.

Mi experiencia es que, para muchas personas, el sentido más fuerte en la realidad ordinaria es el más débil en la realidad no ordinaria. Por ejemplo, he observado que muchos pintores no visualizan sus viajes: obtienen la mayor parte de su información por medio del oído o de sensaciones. Aunque esto puede no ser lo que esperaban, el regalo, en este caso, es que el sentido menos desarrollado en la realidad ordinaria tiene, de repente, ocasión de reavivarse y fortalecerse en el viaje chamánico.

Parte del reto en la iniciación al viaje chamánico consiste en descubrir qué sentidos son los más fuertes en la realidad no ordinaria y en confiar en la experiencia de tus viajes, incluso si contradicen tus expectativas. Cuando lleves ya un tiempo viajando, descubrirás que ves, oyes, sientes, saboreas y hueles en tus viajes exactamente igual que en tu vida ordinaria. Además, la capacidad intuitiva que tienes en la realidad ordinaria se ve potenciada, porque durante el viaje chamánico tus sentidos están muy implicados (y, por consiguiente, se agudizan). En otras palabras, al viajar desarrollarás tu propia capacidad de percepción, que será única y que puede que no sea la misma que tienes en la realidad ordinaria, aunque los beneficios se extenderán a tu vida cotidiana.

Existen, por otro lado, distintos estilos de viaje chamánico. Algunas personas se perciben a sí mismas en los viajes reuniéndose con sus espíritus de ayuda o caminando con ellos. Otras se perciben como si estuvieran observándose a sí mismas desde fuera del viaje, como si de una película se tratara. Y otras, por último, sienten como si se fundieran con su animal de poder o su maestro, moviéndose por el viaje en ese estado fusionado, en lugar de cómo seres distintos. Esta es una manera poderosa de experimentar un viaje, ya que, cuando nos fundimos con nuestro animal de poder, espíritu guardián o maestro, nos incorporamos al poder del universo. Se trata, además, de una experiencia muy sanadora. En la mayor parte de los casos, saltamos hacia atrás y hacia delante entre diferentes estilos de interacción, dependiendo de la naturaleza del viaje y de nuestro nivel de experiencia.

También es importante recordar que todo lo que te sucede en un viaje forma parte de la respuesta a tu pregunta. Tienes que ser consciente de todo cuanto te rodea, tanto de lo que ves, como de lo que oyes, sientes, hueles o saboreas. Muchas personas solo se centran en las respuestas que les dan sus animales de poder y maestros, pero incluso la climatología en tu viaje puede ser parte de la respuesta a tu pregunta. Y la posición del sol en el cielo o si es de día o de noche puede también ser parte de la respuesta a tu pregunta.

¿Cómo se comunican con nosotros los espíritus de ayuda?

En nuestros viajes chamánicos, los espíritus nos comunican información de diferentes maneras. Una de estas maneras es a través de mensajes telepáticos. Puede que te veas o que te percibas a ti mismo junto a tu animal de poder, tu espíritu guardián o tu maestro y que oigas un mensaje, aunque no veas moverse sus labios. O puede que los espíritus te muestren símbolos como respuesta a tu pregunta. O también es posible que te lleven a algún lugar para que presencies una escena que, de alguna manera, da respuesta a tu pregunta. Pero la forma más habitual en la que los espíritus de ayuda se comunican con nosotros es mediante metáforas, que es un método de enseñanza común a todas las tradiciones espirituales.

Un ejemplo de esto lo encontramos en el arameo —la lengua de Jesucristo—, que era muy poética y metafórica. Cuando se tradujo la Biblia del arameo al griego y después a las lenguas modernas, las metáforas fueron traducidas literalmente, a menudo cambiando el significado de las palabras. Un ejemplo es que en arameo no existía una palabra para «bueno» ni para «malo». Las palabras más similares eran, en arameo, el equivalente a «maduro» e «inmaduro», dentro de un contexto en el que todo forma parte de un proceso orgánico continuo. Pero cuando se tradujo la Biblia al griego y luego a las lenguas modernas, las palabras elegidas para representar «maduro» e «inmaduro» fueron «bueno» y «malo». Esta traducción incorrecta marcó por sí sola la evolución de la cultura judeocristiana, de tal modo que la naturaleza humana empezó a percibirse como algo separado de los ciclos naturales de desarrollo y plenitud.

Cuando se da una respuesta literal, existe solo un camino a seguir. Pero cuando los espíritus se comunican utilizando una metáfora, existen muchas posibilidades en cuanto a significados y enseñanzas. Yo siento que los espíritus tratan de inspirarnos para ampliar la percepción que tenemos de nosotros mismos y de nuestra situación, ofreciéndonos de este modo orientación. Además, las metáforas y la poesía se entrelazan en distintos niveles, lo que nos enseña que todo está interconectado.

Hace unos años tuve en un viaje una intensa experiencia que me enseñó la importancia del lenguaje metafórico. Había viajado para encontrarme con mi animal de poder y preguntarle qué necesitaba en la vida. Me dijo que debía trabajar más en el jardín. Me pareció que la respuesta era un poco rara, ya que por aquel entonces yo trabajaba mucho fuera de mi ciudad y además vivía en un lugar donde la tierra no era demasiado fértil. Pero aquel verano, entre trabajo y trabajo, dediqué más tiempo a la jardinería.

Al final del verano, de repente me di cuenta de que me había equivocado al interpretar literalmente la respuesta. Finalmente, caí en la cuenta de que lo que quería mi animal de poder era que tomara la imagen del jardín como una metáfora y que en lo que realmente debía fijarme era en cómo estaba cuidando el «jardín» de mi vida y de mi cuerpo. También me estaba pidiendo que me detuviera a considerar la manera en la que estaba enseñando a mis clientes y trabajando con ellos. ¿Estaba sembrando semillas de amor, esperanza e inspiración con mis conferencias y clases? ¿O estaba sembrando semillas de miedo? Me estaba pidiendo que contemplara todas mis palabras como si fueran semillas y que considerara qué tipos de plantas estaban creciendo a partir de mis palabras.

En el siguiente viaje que realicé, mi animal de poder me dijo que había llegado a preguntarse cuánto tiempo me llevaría comprender el auténtico significado de su consejo. Por otro lado, se había dado cuenta de que mi trabajo de jardinería me beneficiaba en mi vida real, de modo que ¡tampoco era una total pérdida de tiempo! No obstante, me explicó que, en el primero de aquellos viajes, había intentado ofrecerme un cuadro de mi vida más amplio que el coqueto jardín de mi casa. Había tratado de mostrarme que mucha gente está llena de miedo y desesperación y que es muy importante contar historias inspiradoras de amor y esperanza. Tradicionalmente, los chamanes han sido los psicólogos de su comunidad y conocían las historias que podían curar a sus clientes. Mi animal de poder me pedía que me asegurara de que estaba contando historias sanadoras a las personas que conocía en mis clases, en la consulta y en mi vida, lo cual fue para mí una valiosísima lección.

Mi experiencia ha sido que nuestros espíritus de ayuda están siempre tratando de que nos expandamos y crezcamos. Intentan inspirarnos para que realicemos cambios positivos y para que vivamos una vida plena y llena de significado. Tratan de que despertemos del estado de desconexión con la naturaleza y los mundos invisibles, dado que muchos de nosotros vivimos atrapados en las creencias limitadoras de la realidad ordinaria. Una de las técnicas que utilizan es la metáfora, que nos pone a prueba en el proceso de interpretación. Las metáforas nos obligan a salir de las estrechas casillas en las que nos quedamos atascados debido a interpretaciones literales y nos piden que veamos nuestra vida como un cuadro más amplio. Yo estaría todavía arreglando el jardín de mi casa si no hubiera reflexionado más profundamente sobre el consejo de mi espíritu de ayuda.

¿Cómo debo formular las preguntas que deseo hacer a mis espíritus de ayuda?

Según mi propia experiencia, existen dos factores clave para un viaje con éxito: generar una fuerte intención y realizar las preguntas correctas. Las mejores preguntas son las que comienzan con las palabras «quién», «qué», «dónde» o «cómo».

Cuando estés iniciándote en la técnica del viaje chamánico, es mejor que realices una pregunta por viaje. Asegúrate de que tu pregunta no contiene las conjunciones «y» ni «o», pues estarías formulando dos preguntas en una. Y si tus espíritus de ayuda te dan respuestas simbólicas, no sabrás a qué pregunta están respondiendo. Podrías pensar que tu espíritu de ayuda ha terminado de responder a la primera parte y que pasa a la segunda, cuando en realidad podría estar dándote más información en respuesta a tu primera pregunta. Hasta que te acostumbres al lenguaje de comunicación con tus espíritus de ayuda, es mejor que realices una pregunta por viaje. Siempre puedes volver a viajar en otro momento para formular otra pregunta.

A medida que vayas teniendo más experiencia, te darás cuenta de que puedes realizar más de una pregunta por viaje. A este respecto, yo me siento muy cómoda con la forma de comunicación que mis espíritus de ayuda utilizan y que me permite mantener largas conversaciones con ellos. No obstante, te hará falta tiempo y mucha práctica para alcanzar este nivel.

Cuando vayas a pedir ayuda para tomar una decisión importante, es mejor que realices preguntas cuya respuesta aporte la mayor información posible. Una simple respuesta afirmativa o negativa no te ayudará a pensar sobre una decisión difícil. Por la misma razón, las preguntas que comienzan por «Debería» o «No debería» no son las ideales. Por ejemplo, es muy frecuente que la gente pregunte a sus espíritus de ayuda si deberían casarse con alguien. Si formulas esta pregunta comenzando con un «debería», tu animal de poder podría responder «sí», dando la impresión de que el matrimonio será un enlace feliz. Más tarde, si tu matrimonio resulta doloroso y acaba mal, te preguntarás por qué tu espíritu te guió por ese camino. Sin embargo, puede que tus espíritus de ayuda contemplaran la boda como una oportunidad para aprender enseñanzas importantes, aunque dolorosas. Es esencial comprender que nuestros espíritus de ayuda nos protegen del dolor, pero no nos protegen de las lecciones difíciles que en ocasiones debemos aprender en esta vida. En cambio, si tu pregunta es «¿Qué aprenderé o que experiencia tendré si me caso con esta persona?», tu animal de poder podría responderte: «Sabrás lo que es la traición». Esa respuesta puede darte una idea más clara de lo que te encontrarás en tu matrimonio y te ayudará a decidir si elegir o no ese camino.

Durante uno de mis más memorables viajes, me encontré con mi maestra Isis, que me preguntó: «¿Sabes cuál es tu problema?». Me sorprendió esa pregunta tan brusca y repentina y contesté: «No. ¿Cuál y que mis amigos esta ha sido siempore una preocupacil miedo a acabar como una sintecho nte, te hard podros piden que veamos es mi problema?». Ella me contestó: «Sencillamente, no ves la vida como una aventura».

Así que le conté que tenía algunas preocupaciones bastante serias que podrían estar impidiendo que me sintiera aventurera en la vida. Compartí con ella toda una lista de preocupaciones, entre ellas el miedo a acabar como una persona más sin hogar, viviendo en la calle en Nueva York. La idea de envejecer en Nueva York ha sido una preocupación que siempre he tenido y que mis amigos aprovechan a menudo para tomarme el pelo.

Ella me miró y dio media vuelta. Después se volvió, me miró de nuevo fijamente a los ojos y dijo: «¡Qué increíble aventura sería esa!».

Si piensas en ello, verdaderamente sería una aventura, aunque puede que no la que elegirías de manera voluntaria. No obstante, su punto de vista es el típico punto de vista de los espíritus de la realidad no ordinaria: ellos contemplan la vida humana como una maravillosa aventura llena de oportunidades de aprendizaje y crecimiento, las cuales pueden encontrarse incluso en las más inesperadas circunstancias.

Las preguntas que comienzan con «Por qué» están bien en ocasiones, aunque no siempre tienen una respuesta directa. Por ejemplo, si haces una pregunta del tipo: «¿Por qué tuvo que morir mi amor en ese accidente?», puede que no recibas una respuesta clara. Algunas cosas entran dentro del misterio de la vida y no tienen respuesta o no está en tu mano comprenderlas.

Esto no quiere decir, evidentemente, que no puedas preguntar «Por qué». Solo es importante que entiendas que existen ciertas limitaciones en cuanto a las respuestas que recibirás a tales preguntas.

También es muy difícil obtener respuestas exactas cuando se pregunta «Cuándo». Recuerda que estás viajando fuera del tiempo; el tiempo adquiere un significado diferente y, a veces, misterioso en la realidad no ordinaria. Esta es la razón por la cual las profecías son a menudo inexactas o no son claras en lo concerniente al tiempo, y lo mismo ocurre con las respuestas que puedes recibir si preguntas cuándo va a suceder algo.

¿Cómo interpreto mis viajes?

Algunos mensajes son obvios y directos, aunque a menudo, en los viajes, abundan símbolos que pueden resultar de difícil interpretación. Dado que el chamanismo es un sistema de revelación directa, nadie puede interpretar los viajes más que tú.

Si estás atascado en el significado de un símbolo o de una metáfora, he aquí algunas sugerencias. Prueba a hacerte nuevas preguntas acerca de lo que ocurrió durante el viaje, para ver si aparece nueva información. Por ejemplo: «¿Qué tenía que ver la presencia del sol con mi pregunta?» o «¿Qué relación tiene el paisaje que percibí con mi pregunta?». Trabaja con cada uno de los elementos que aparecieron nítidamente en tu viaje, para descubrir de qué manera proporcionan información adicional en respuesta a tu pregunta. Otra técnica útil consiste en escribir en tu diario o hablar en voz alta, en un torrente de consciencia, hasta que tu mente descubra la respuesta. A menudo, el proceso de reflexionar sobre la información que se te ha dado arroja claridad. También te recomiendo que, cuando te sientas estancado, viajes de nuevo al encuentro de tus espíritus de ayuda para que te den la información que necesitas de una forma que te resulte más fácil de comprender.

¿Estoy inventándome mis viajes?

El reto más frecuente al que se enfrentan los principiantes en la práctica del viaje chamánico es el miedo que tienen a inventarse los viajes, es decir, a que todo esté sucediendo en su imaginación y que, por consiguiente, sea irrelevante.

La mayoría de los lectores de este libro habrán crecido en una sociedad que les habrá enseñado que los reinos invisibles no existen. Te habrán enseñado que solo lo que puedes ver, tocar, oír, saborear y oler es real y que el resto existe solamente en tu imaginación. Después de todos estos años de basar tu percepción de la realidad en aquello que es tangible, el oír a alguien contarte que puedes viajar a una realidad no ordinaria y pedir consejo y orientación a seres espirituales e invisibles resulta cuanto menos confuso. Esta pregunta le surge prácticamente a todo el mundo cuando se inicia en la práctica del viaje chamánico.

De niños, a muchos nos producía gran consuelo el poder comunicarnos con seres adorables y serviciales de mundos invisibles. Sin embargo, al crecer y socializarnos creyendo únicamente en la realidad física, nuestra relación con el mundo invisible se disuelve.

Sin embargo, somos muchos los que deseamos redescubrir los mundos invisibles y recuperar nuestra interconexión con todos los seres, visibles e invisibles. En un nivel profundo, todos sabemos que en la vida hay mucho más que las meras posesiones materiales, que lo que la sociedad dice que es verdad o que experimentamos con nuestros cinco sentidos.

Hace varios años, me encontraba impartiendo un taller de introducción al viaje chamánico cuando me di cuenta del gran alcance de esta cuestión de la imaginación. Una y otra vez la gente me preguntaba de distintas maneras: «¿Me estoy inventando mi viaje?». En un descanso, una mujer de Brasil se acercó para contarme lo sorprendida que estaba de que la gente no parara de hacer esa misma pregunta. Ella se había criado en una cultura en la que existe una fuerte creencia en los espíritus y para ella esa pregunta no tenía cabida, dado que los espíritus «son reales». Sin embargo, cuando yo era niña, mis padres no hablaban de animales de poder ni de espíritus de ayuda en la mesa a la hora de cenar y tampoco debían hacerlo la mayoría de los padres de los participantes en aquel taller.

Mi experiencia me ha mostrado que la mejor manera de evaluar la validez de tus viajes chamánicos consiste en hacerlo basándote en los resultados. Si persistes en la práctica del viaje chamánico, comenzarás a ver los útiles y beneficiosos resultados que surgen de los consejos que recibes. Recuerda que el chamanismo ha sido tradicionalmente un sistema orientado a resultados y es importante que evalúes tus resultados de manera continuada. La pregunta importante que debes hacerte es: «¿He obtenido una información que supone una diferencia positiva en mi vida?».

Cuando empieces a ver resultados significativos, tu mente comenzará a serenarse y luego te darás cuenta de que ya no te importa la cuestión de si todo está sucediendo o no en tu imaginación. Sin embargo, si luchas contra tu mente o tus creencias mientras estás viajando, dedicarás mucho tiempo de tu viaje al diálogo interior y estarás demasiado distraído para recibir una información clara. Lo que yo hago cuando mi mente analítica interfiere en mi viaje es simplemente darle la razón en lo que me dice y después continuar con mi viaje. Y te recomiendo que des a tus viajes la oportunidad de revelarte, con el tiempo, sus efectos beneficiosos, y tu perspicaz mente quedará satisfecha.

En nuestra cultura, la gente se olvida de lo importante que es la relajación en toda práctica espiritual. Tendemos a tomarnos las cosas demasiado en serio, presionándonos demasiado a nosotros mismos. Los chamanes y sanadores tradicionales siempre están riendo. La excesiva seriedad en nuestros viajes y en la vida nos desconecta de nuestro potencial creativo. Aprende a reírte de ti mismo o de ti misma y diviértete practicando el viaje chamánico. Con el tiempo, te darás cuenta de que tus espíritus de ayuda tienen sentido del humor y siempre están intentando levantarte el ánimo.

Cuando comencé a practicar el viaje chamánico, mi animal de poder encontró escenarios divertidos para enseñarme a realizar las preguntas adecuadas. Recuerdo un viaje al Mundo Inferior en el que me encontré con él. Cuando aparecí en el bosque de pinos donde vivía, llevaba puesto un elegante uniforme de camarero, con impolutos guantes blancos. Me mostró una pequeña mesa redonda vestida con una mantel blanco y decorada con un jarroncito de flores. Retiró de la mesa una silla para mí y me ofreció una carta. La abrí y me sorprendió lo que había en su interior: dos columnas con distintas preguntas. Mi animal de poder me anunció que la pregunta que yo tenía intención de hacerle no era la correcta. Ni tan siquiera le había dicho cuál era mi pregunta, así que era evidente que conocía mis intenciones antes incluso de que yo hablara. Entonces me explicó que las preguntas del menú eran apropiadas y que podía elegir una pregunta de la columna A y otra de la columna B durante mi viaje. Creo que este es un ejemplo magnífico de la manera en la que los espíritus son capaces de enseñarnos a través del sentido del humor y del juego, lo cual ayuda a que esta disciplina resulte más alegre y desenfadada.

¿Con qué retos puedo encontrarme en mi viaje?

A muchas personas les asalta la pregunta: «¿Estoy viajando correctamente?». Recuerda que no hay una manera correcta de viajar: sea cual sea, tu experiencia será correcta para ti. Es importante aprender a reconocer y validar tus experiencias, que son únicas. Esto puede llevar tiempo y práctica, pero la recompensa es enorme.

Otro reto frecuente parte de la necesidad de percibir el viaje visualmente, en lugar de hacerlo a través de los demás sentidos. La manera de trabajar este aspecto consiste en abrir conscientemente todos los sentidos a la realidad no ordinaria. Si no estás percibiendo nada visualmente, simplemente fíjate en lo que oyes, en lo que sientes a través de la piel, en lo que hueles o percibes por el sabor, y relájate para recibir información de una manera nueva.

Ya he mencionado anteriormente el hecho de que, en nuestra cultura, la gente tiende a interpretar todo lo que le ocurre en un viaje de forma demasiado literal. Esto puede cambiar el significado del viaje. Debes estar atento a las metáforas. Expande tu consciencia para percibir el cuadro general que tus espíritus de ayuda están tratando de mostrarte.

Una de las cosas de las que más se quejan los viajeros chamánicos es que no consiguen detener su parloteo mental mientras viajan. A menudo, cuando nos tomamos un momento para realizar trabajo espiritual, nuestra mente nos reta con infinitas distracciones. Puedes acabar pensando en la ropa que vas a ponerte para ir al trabajo o en qué vas a comer, o terminar realizando listas mentales de todas las cosas que deberías estar haciendo.

Repetir una y otra vez la intención del viaje te reconducirá hacia tu viaje y centrará de nuevo tu mente. También te aconsejo que busques, para viajar, momentos del día en los que tu mente esté más tranquila, y no llena de distracciones. Una vez más, te sugiero que pruebes a bailar o cantar un poco antes de tu viaje, para calmar la mente y abrir el corazón, que es el estado más propicio para viajar.

Otra manera de serenar la mente consiste en realizar una actividad física, como bailar o cantar lo que te está ocurriendo en el viaje. A mí, personalmente, me gusta recitar para mí misma y cantar mis viajes en voz alta. Para dejar a un lado el parloteo de mi mente, sencillamente toco el tambor para mí misma, lo cual me hace profundizar en mis viajes. En las culturas chamánicas tradicionales, a menudo el chamán realiza su viaje para la comunidad al mismo tiempo que danza, canta o recita en voz alta lo que le va sucediendo. El chamán narra así el lugar al que viaja el grupo, con qué espíritus se encuentran, qué mensajes les están comunicando y qué trabajo de curación está teniendo lugar. También puedes probar a realizar movimientos libres o a bailar mientras viajas, en lugar de tumbarte o sentarte, si ello te ayuda a centrarte mejor en tu viaje.

¿Cuándo debo viajar?

Es mejor que viajes cuando tengas una pregunta clara que hacer o cuando necesites ayuda. Cuando una persona se inicia en la práctica del viaje chamánico, ocurre a menudo que se entusiasma y quiere viajar constantemente. Sin embargo, debo advertirte de que no querrás crear una práctica espiritual basada en realizar muchas preguntas y tomar notas, pero sin aplicar a tu vida los consejos que recibes. En otras palabras, no querrás recibir información espiritual y no integrarla en tu vida.

La frecuencia con la que debes viajar irá estableciéndose con el tiempo, pero te advierto que puede ser cíclica. A veces encontrarás que necesitas más tiempo entre viajes para integrar la información, mientras que otras veces integrarás la información rápidamente y estarás preparado para tu siguiente viaje casi de inmediato.

Cuando te enfrentes a un problema emocional o físico concreto, puede que necesites viajar varias veces para notar algún cambio. Y si no estás obteniendo resultados positivos para resolver tu problema, puede que tengas que buscar ayuda externa. A veces, cuando la persona está demasiado vinculada emocionalmente al resultado de un problema, puede no ser capaz de distanciarse lo suficiente para obtener una orientación espiritual clara. Y lo mismo ocurre si te encuentras en un determinado estado emocional por un familiar o un ser querido. En estos casos, necesitarás encontrar a alguien en quien confíes plenamente y que pueda viajar en tu lugar.

Cuando estoy escribiendo o trabajando en un proyecto creativo, practico mucho el viaje chamánico. Mis espíritus de ayuda son para mí una fuente continua de inspiración cuando escribo. Te recomiendo que, cuando estés trabajando en un proyecto concreto, intentes viajar para encontrar un espíritu de ayuda que esté dispuesto a apoyarte en tu proyecto.

También es importante que sepas que, en tu práctica del viaje chamánico, pasarás por muchos ciclos. Habrá semanas y meses en los que tus viajes serán intensos y nítidos. Y después puede que pases por un ciclo en el que intentarás viajar, pero no recibirás ninguna información. Esto es normal y puede durar varias semanas o meses. Formamos parte de la naturaleza y estos son ciclos naturales a los que todos estamos sujetos. En nuestra cultura, queremos estar siempre en modo «on». Ya no reconocemos el admirable ciclo de gestación que es necesario para el proceso de regeneración que trae nueva vida. Las plantas no dan flores los 365 días del año. Del mismo modo, a veces nos encontramos en un proceso profundo de germinación o gestación. En esos momentos podemos viajar para otros, pero puede que, para nosotros, las cortinas que separan la realidad ordinaria de la no ordinaria se mantengan cerradas durante un tiempo. Si esto sucede, es importante que no te sientas frustrado o que pienses que tus espíritus de ayuda te han abandonado. Ellos siguen ayudándote, pero de un modo invisible. Continúa viajando y probando. Con el tiempo, tus viajes recuperarán de nuevo fuerza y claridad.

¿Cómo puedo saber si debo viajar al Mundo Inferior o al Mundo Superior?

La gente, cuando aprende a viajar, se siente a menudo más atraída por un mundo que por los otros. A algunas personas les resulta más fácil viajar al Mundo Inferior y más difícil, en cambio, llegar al Mundo Superior. Y a otras les ocurre todo lo contrario. Y muchas personas se sienten cómodas viajando a ambos mundos. Esto, a menudo, cambia con el paso del tiempo, dependiendo de aquello en lo que se esté trabajando. Tu estilo de viajar evolucionará y el mundo en el que te sientas más cómodo cambiará. Es importante ser flexibles.

A medida que vayas adquiriendo experiencia, te encontrarás con animales de poder y maestros especializados en diferentes áreas. Aprenderás a qué espíritus de ayuda debes preguntar sobre las distintas cuestiones. Según mi experiencia personal, mi animal de poder suele estar siempre disponible para mis clientes y para mí, si bien mis maestros suelen ser los que me ofrecen la mejor información cuando estoy escribiendo y en relación con asuntos más amplios, de alcance global. Muchas personas que practican el chamanismo para sus clientes trabajan con sus maestros con forma humana. Cuando ya viajes con cierta regularidad, comenzarás a identificar a qué animal de poder o maestro debes acudir para ciertos tipos de cuestiones y preguntas. Te darás cuenta de que los diferentes espíritus de ayuda tienen diferentes especialidades. Incluso cuando tus espíritus de ayuda te hayan dado muestra de su especialidad, está bien que viajes para reunirte con diferentes espíritus y les pidas su opinión sobre una misma cuestión, pues tendrán seguramente perspectivas diferentes y muy valiosas que compartir contigo.

Recuerda que, con el tiempo, tus animales de poder y maestros pueden cambiar. Es posible que permanezcan años contigo, o bien que nuevos espíritus de ayuda se presenten ante ti cuando requieras un tipo de ayuda distinto.

En tus viajes, puedes moverte entre mundos como gustes. Si estás viajando al Mundo Inferior y deseas estar en el Mundo Superior, simplemente haz el camino hasta ese mundo. De igual modo, puedes viajar del Mundo Superior al Mundo Inferior siempre que lo desees. Tus animales de poder y maestros pueden moverse entre los tres mundos, de uno a otro, de manera que no hay limitaciones en cuanto a dónde ir o qué espíritus conocer.

Busca el elemento sorpresa en tus viajes. Te encontrarás muchas veces con espíritus que se ofrecen para ayudarte y cuya identidad te sorprenderá. Obtendrás respuestas y ayuda de las más inesperadas formas. En mi caso, el elemento sorpresa es, en gran medida, lo que me ha tenido inmersa en la práctica chamánica durante los últimos veinte años.

Piensa en la práctica del viaje chamánico como un trabajo en evolución. Crecerá y se expandirá en proporción a la cantidad de tiempo que le dediques. La clave está en seguir practicando y desarrollando una relación de confianza con tus espíritus de ayuda. Esto sucederá con el tiempo de manera natural.

Deja que tus viajes sean fluidos y orgánicos. Explora diferentes niveles en ambas direcciones. Ábrete a conocer a nuevos espíritus que puedan ayudarte. ¡Sé aventurero o aventurera! Toma el amor, la sabiduría y el poder de curación que tus espíritus de ayuda y el universo están deseando compartir contigo.

6

EMPRENDE TU PRIMER VIAJE CHAMÁNICO

En este capítulo voy a resumir tres viajes. Te aconsejo que los pruebes, uno por uno, para comenzar a practicar la técnica del viaje chamánico.

Viaje al Mundo Inferior

Tu primer viaje chamánico será al Mundo Inferior, para encontrarte con tu animal de poder y establecer contacto.

Comienza visualizándote a ti mismo en un lugar de la naturaleza que hayas visitado en la realidad ordinaria y donde haya una abertura natural hacia el interior de la Tierra. Puede ser un tronco de árbol con raíces profundas que se hunden en la tierra, el cráter de un volcán, un agujero en el suelo, la entrada a una cueva o una masa de agua como un lago, un arroyo, un río o una cascada. Como ya he mencionado antes, si te funciona mejor visualizarte a ti mismo en un ascensor o en el túnel del metro, está bien, no hay problema.

Visualízate accediendo por la entrada que has elegido, donde te encontrarás en un espacio de transición de algún tipo, generalmente un túnel. Avanza por el túnel hasta alcanzar la luz y, cuando hayas salido ya al Mundo Inferior, fíjate en el paisaje que te rodea y observa si hay algún animal cerca.

Si te encuentras allí con un animal, pregúntale: «¿Eres mi animal de poder?». Al pedir un respuesta afirmativa o negativa tendrás una visión inmediata de la manera en la que tu animal de poder quiere comunicarse contigo. Puede que te responda de manera telepática o puede que te conduzca a algún lugar o que te muestre algo que encierra un mensaje para ti. Si es tu animal de poder, comienza a construir una relación con él o ella, haciéndole una pregunta o pidiéndole que te guíe en un recorrido por ese nivel del Mundo Inferior. Por ejemplo, podrías comenzar preguntando qué enseñanza beneficiosa para ti va a proporcionarte ese animal en particular. Si no es tu animal de poder, continúa tu viaje hasta localizarlo.

Intenta mantenerte junto a tu animal de poder durante todo el viaje, hasta que el sonido del tambor te llame para que regreses. O, si deseas volver antes del toque de aviso del tambor, regresa por donde has venido hasta la habitación donde estás tumbado o sentado, abre los ojos y deja de escuchar los audios.

Si tu experiencia difiere de mis directrices de una u otra forma, sigue tu propia experiencia e ignora mis instrucciones. Por ejemplo, algunas personas no pasan por ningún túnel y llegan directamente al Mundo Inferior. O es posible que, en ese mundo, te encuentres con un maestro en lugar de con un animal de poder. No limites tus viajes tratando de adaptarte a mis instrucciones, cuya única intención es la de proporcionar una pautas generales para que te inicies en esta práctica chamánica. Ofrécete la oportunidad de seguir tu propia experiencia mientras se está produciendo.

Para visitar niveles más profundos del Mundo Inferior, busca nuevas aberturas en la Tierra que te lleven a profundidades mayores. Existen muchos niveles hacia abajo en el Mundo inferior y hacia arriba en el Mundo Superior. Como cuando comenzaste, puedes viajar hacia abajo buscando nuevas entradas en la tierra y descender de un nivel al siguiente.

Viaje al Mundo Medio

Antes de comenzar tu viaje al Mundo Medio, asegúrate de que tienes una intención y un propósito claros para tu viaje.

Cuando viajas al Mundo Medio, lo haces por el paisaje de tu realidad física, aunque puede que tu experiencia sea bastante diferente de la que tienes cuando simplemente sales por la puerta de tu casa. En primer lugar, te encontrarás con los espíritus invisibles de los seres que comparten tu entorno, como los espíritus de la tierra, las piedras, los animales, los árboles y demás plantas. En segundo lugar, podrás viajar a gran velocidad por el espacio sin las limitaciones de tu cuerpo físico.

Para un viaje al Mundo Medio, visualízate saliendo de tu casa por la puerta principal y viajando a través de la realidad física para localizar un objeto perdido o tal vez para visitar un lugar en el que te gustaría estar. En este tipo de viaje, puedes aprender mucho comunicándote con los espíritus de la naturaleza y con los elementos agua, aire, tierra y fuego.

También puedes viajar al sol, a las estrellas y a otros planetas de nuestro sistema solar, cada uno de los cuales tiene mucho que enseñarte para que recuperes el equilibrio y vivas en armonía con tus ciclos naturales. En el Mundo Medio, tenemos además acceso a hadas, devas y elfos, que son espíritus de la naturaleza. También te puedes encontrar con guardianes del bosque. En resumen, los viajes importantes al Mundo Medio son aquellos que te permiten descubrir los espíritus de seres invisibles que están a nuestro alrededor en todo momento, pero que no somos capaces de percibir en nuestra realidad ordinaria.

Cuando oigas el sonido de tambor que llama a regresar, vuelve sobre tus pasos a la habitación en la que estás tumbado o sentado, abre los ojos y apaga el reproductor de audio. O, si quieres terminar el viaje antes de escuchar el sonido de tambor que marca el regreso, simplemente recorre el camino de vuelta a la habitación, abre los ojos y apaga el reproductor de audio.

Viaje al Mundo Superior

Tu primer viaje al Mundo Superior tendrá el propósito de conocer a un maestro con forma humana.

Con esa intención en la mente, comienza visualizándote a ti mismo en un determinado lugar de la naturaleza que te ayude a viajar hacia arriba. Por ejemplo, puedes verte trepando a un árbol, subiendo por una cuerda o una escalera de mano, saltando desde lo alto de una montaña, ascendiendo por un tornado o un remolino de viento, escalando un arcoíris, elevándote con el humo de una fogata o de una chimenea, o encontrando a un ave que levante vuelo contigo. También puedes pedir a tu animal de poder que te lleve hasta ahí arriba. Sea cual sea la forma en la que llegues al Mundo Superior, estará bien.

Pasarás por una transición, como una nube o una capa de niebla, que te indicará que has entrado en el Mundo Superior. Cuando hayas pasado por esa transición, llegarás al primer nivel. Si sigues viendo estrellas y planetas en tu viaje hacia arriba, es que no has llegado al Mundo Superior. Una vez más, sabrás que has llegado por la sensación de haber pasado por un umbral permeable de algún tipo, tras lo cual el paisaje cambiará.

Observa si hay un maestro esperándote allí para darte la bienvenida. Si es así, pregúntale: «¿Eres mi maestro?». Si obtienes una respuesta o un gesto afirmativo, pídele a tu maestro algo importante para ti, como por ejemplo ayuda para la curación de un problema físico o emocional. También puedes pedirle que te enseñe el Mundo Superior. Si tu maestro no te está esperando en el primer nivel, continúa buscando por los diferentes niveles hasta que encuentres a alguien que te diga que es tu maestro o maestra.

También puedes continuar viajando hacia niveles superiores y buscar significados a medida que subes: percibe lo que se muestra ante ti como un medio de transportación. La conversación inicial con tu maestro —como con tu animal de poder— revelará cómo va a comunicarse contigo y qué te ofrece.

Cuando oigas el sonido de tambor que avisa que ha llegado la hora de regresar, vuelve por donde viniste, hasta la habitación en la que te encuentras tumbado o sentado, abre los ojos y apaga el reproductor de los audios o interrumpe la audición. No obstante, si quieres poner fin al viaje antes de oír el toque de vuelta del tambor, simplemente vuelve sobre tus huellas hasta la habitación donde estás tumbado o sentado, abre los ojos y apaga el reproductor de audios del código QR o da pausa.

Por favor, toma nota de lo siguiente: los animales de poder y los maestros de forma humana viven en los mundos Superior e Inferior. Tras completar tus primeros viajes, podrás invertir el proceso. Es decir, podrás encontrar un maestro de forma humana en el Mundo Inferior y viajar para encontrar un animal de poder en el Mundo Superior.

7

ADIVINACIÓN Y VIAJES DE CURACIÓN

Viajes de adivinación

Uno de los papeles tradicionales de un chamán ha sido siempre adivinar información para los individuos y para la comunidad en conjunto. Algunos médicos chamánicos siguen adivinando información para clientes y para las comunidades en las que viven, aunque muchos no se sienten llamados a viajar en el puesto de otros. En lugar de ello, utilizan los viajes chamánicos para que la persona acceda a orientación en relación con sus propios problemas. Tus espíritus de ayuda son un maravilloso recurso cuando se trata de responder a preguntas acerca de relaciones, problemas de salud o cuestiones de trabajo. Puedes pedirles también información que te ayude a crecer y a evolucionar en un sentido más amplio. Por ejemplo, puedes hacer preguntas del tipo: «¿Qué necesito para centrarme en mi vida ahora mismo?».

He aquí algunos otros ejemplos de preguntas que pueden servir de inspiración para viajes de adivinación:

- ¿Cómo puedo curar mi cuerpo?

- ¿Cómo puedo curar mi relación?

- Muéstrame mi nueva vida (si estás pasando por una transición).

- ¿Cómo puedo prepararme para...?

- ¿Qué puedo hacer para resolver la tensión en mi familia y en mi entorno laboral?

- ¿Cómo puedo ser de ayuda a un ser querido, a un amigo, a un animal o a la tierra en la que vivo? (Elige solo una opción cada vez).

- ¿Dónde debería buscar una casa?

- Por favor, ayúdame a encontrar un nuevo trabajo.

- ¿Qué aprenderé si elijo esto?

- ¿Cuál es la causa de origen de mi miedo? (O elige cualquier otro problema de tu vida).

Para adivinar información en un viaje, comienza con una pregunta clara que quieras hacer a uno de tus espíritus de ayuda. Decide cuál de tus espíritus de ayuda te gustaría que tuviera respuesta para tu pregunta y viaja al lugar donde sueles encontrarte con él. Por supuesto, puedes formular tu pregunta a más de uno de tus espíritus de ayuda. Simplemente búscalos en los lugares de la realidad ordinaria donde suelen encontrarse y pregunta a tantos cuantos quieras que respondan a tu pregunta. Esto es lo que se conoce como viaje de adivinación.

Antes, yo tenía una terrible mala suerte a la hora de comprar coches de segunda mano y me pasaba la vida en el mecánico. Un día, cuando había aprendido ya la técnica del viaje chamánico, fui hasta mi animal de poder y le pedí un diagnóstico del problema mecánico antes de llevar el coche al taller. El mecánico al que solía acudir sabía que yo no entendía nada de coches.

Por aquel entonces, ni siquiera sabía poner gasolina sin ayuda. La primera vez que aparecí diciéndole al mecánico lo que pensaba que estaba estropeado, él simplemente se echó a reír. Cuando fui a recoger el coche ya arreglado, me dijo con total asombro: «¡Tenías razón!».

Y esto continuó con el tiempo. Cada vez que llevaba el coche al taller, presentaba mi diagnóstico y siempre acertaba. Finalmente el mecánico me preguntó qué estaba haciendo para descubrir los problemas que tenía el coche. Me costaba contarle la verdad, es decir, que estaba realizando viajes chamánicos y que mi animal de poder debía meterse regularmente bajo mi coche para averiguar lo que le ocurría. Finalmente, claudiqué y le conté que practicaba la técnica del viaje chamánico y que mi animal de poder me proporcionaba toda la información que necesitaba. Después de eso, cada vez que llevaba el coche, lo primero que hacía el mecánico era preguntarme qué me había dicho mi animal de poder.

Barbara tenía un amiga que había tomado la firme decisión de dejar a su marido. Su amiga le pidió a Barbara que viajara para hacer la pregunta: «¿Dónde debería ir cuando deje a mi marido?». Durante el viaje, Barbara la vio en un área sorprendentemente cerca de donde vivía en ese momento, de modo que pidió a otra persona que viajara por el mismo asunto. Esa segunda persona recibió la misma información, de modo que Barbara pidió a su amiga que reconsiderara la decisión de dejar a su marido. Su amiga decidió hablar con él y arreglar las cosas y actualmente tienen una buena relación de pareja.

Después de practicar mucho el viaje chamánico, algunas personas deciden utilizar esta técnica para acceder a información para amigos, para clientes o para su comunidad. Sin embargo, antes de ponerte a disposición de otros de esta manera, debes estar seguro de que alcanzas buenos resultados en tus viajes chamánicos. Recuerda: si los chamanes no fueran capaces de predecir con éxito las fuentes de alimento para su comunidad o de proporcionar curación a su gente en la tribu, la comunidad no sobreviviría. La práctica del chamanismo se ha basado siempre en resultados concretos y útiles.

Si has alcanzado un nivel y te gustaría viajar para pedir consejo en nombre de amigos, familiares o miembros de tu comunidad, por favor considera las siguientes cuestiones éticas. En primer lugar, es esencial que tengas permiso para viajar en nombre de otra persona. Vivimos en una cultura que nos anima a tratar de ayudar a otras personas, lo quieran o no. Sin embargo, yo pienso que debemos respetar las elecciones de cada uno, el modo en el que cada uno aprende, se cura y crece. Las personas no se curan ni crecen en lo personal hasta que no están listas para ello. No funciona empujar a la curación a otros. La información es una forma de curación, de modo que, por favor, espera hasta que alguien te pida ayuda antes de interferir en su vida. Para que tenga lugar un proceso eficaz de curación, la persona debe estar preparada para recibir esa curación.

Por otro lado, si estás teniendo un problema con un compañero de trabajo o con tu pareja, no es conveniente viajar y preguntar: «¿Cuál es el problema de esta persona?». Esto sería meterse en la vida de otro sin permiso, una forma de espionaje no ordinario. En lugar de ello, habría que emprender el viaje y preguntar: «¿Cómo puedo arreglar esta relación?», «Qué comportamiento debo adoptar o qué cambio debo realizar para arreglar esta situación?, ¿Cuál es la lección que se desprende de esto y que debo aprender?». La clave del éxito de un viaje reside en saber centrarse en uno mismo, en lugar de atender a lo que le está sucediendo a otros, salvo si te piden que lo hagas.

Hay una excepción a esta regla que es importante aclarar. Cuando trabajaba como profesional en psicoterapia y atendía a mis clientes, en ocasiones utilizaba el viaje chamánico como herramienta diagnóstica. Por ejemplo, si sentía que mi cliente y yo no hacíamos más que dar vueltas alrededor de los problemas principales sin ser capaces de localizarlos y avanzar, le pedía a mi animal de poder que identificara los problemas subyacentes. En esta situación, mis clientes venían a verme para que les ayudara y esperaban que utilizara todos los recursos a mi alcance para proporcionarles la mejor ayuda. Por consiguiente, en el contexto de profesiones cuyo propósito es ayudar a los demás, yo pienso que es ético utilizar el viaje chamánico como herramienta diagnóstica. No obstante, no se considera apropiado analizar la realidad no ordinaria de alguien que no te ha pedido ayuda.

Por último, tampoco pedirás a los espíritus de ayuda que envíen curación —de cualquier forma— a alguien que no la está pidiendo. Una vez más, es importante mantener unos límites y una discreción adecuados en lo referente a la práctica del chamanismo.

Viajes de curación

En las culturas chamánicas tradicionales, el chamán abordaba la dimensión espiritual de la enfermedad interviniendo en la realidad no ordinaria en nombre de su cliente. En esos casos, el cliente no viajaba en primera persona.

Sin embargo, dado que somos muchos los que hoy en día tenemos acceso a nuestros espíritus de ayuda a través del viaje chamánico, merece la pena pedir curación a tu animal de poder o maestro cuando la necesites. La curación puede adoptar multitud de formas, dependiendo de la naturaleza del problema y de la forma en la que actúan tus espíritus de ayuda.

Para realizar un viaje de curación, comienza afianzando una idea clara del problema o del trastorno que requiere curación. Decide a cuál de tus espíritus de ayuda te gustaría consultar para recibir curación y viaja hasta donde sueles encontrarlo en la realidad no ordinaria. Puede que te encuentres con que el espíritu al que preguntas no te proporciona curación él mismo, sino que te conduce hasta otro espíritu de ayuda más capacitado en ese caso.

Por ejemplo, Larry tenía problemas de estómago. No digería bien la comida y tenía dolores. Visitó a varios médicos, que no encontraban el origen del problema. Realizó un viaje chamánico para ver a su maestro, que era su bisabuelo, y le pidió ayuda. Su maestro le pidió que se tumbara en el suelo, en su casa. Al principio Larry sintió como si estuviera flotando y después le invadió una sensación de luz y de amor incondicional y sintió una paz que no había sentido nunca antes. Cuando regresó de su viaje, se dio cuenta de que no tenía dolor, por primera vez en meses. Realizó una serie de viajes para descubrir cómo podía mantener su salud a largo plazo. Desde entonces, ha seguido las directrices y los consejos que le da su bisabuelo y sigue llevando una vida saludable.

Dado que el chamanismo trabaja el aspecto espiritual de la enfermedad, puede combinarse con los tratamientos médicos y psicológicos tradicionales. En muchas culturas indígenas, chamanes y médicos trabajan juntos para proporcionar tratamiento.

A Connie le habían diagnosticado un cáncer de mama. Aconsejada por sus médicos, decidió someterse a mastectomía parcial y radioterapia. Además de someterse al tratamiento de medicina tradicional, viajó para encontrarse con su animal de poder, un colibrí, y le pidió ayuda. Combinó su trabajo chamánico con trabajo de interpretación de sueños. El colibrí le dio instrucciones para que realizara moldes de bustos en escayola y los pintara con imágenes inspiradoras de curación. Y, al cabo de una semana, recibió una subvención para impartir talleres sobre su método de ayuda a la curación a mujeres a las que se les había diagnosticado cáncer de mama.

Dale trabajaba en una fábrica y no se llevaba bien con otro trabajador. Realizó un viaje chamánico y le preguntó a su animal de poder qué podía hacer. Este le dijo que consiguiera dos piedras, las pintara de dos colores diferentes y que las llevara en el bolsillo. Lo hizo y, sin ninguna otra intervención, los problemas con su compañero de trabajo desaparecieron en muy poco tiempo. Este es un ejemplo de cómo un misterioso ritual puede generar cambio y curación, aunque nuestra mente racional no sea capaz de comprenderlo.

Otra forma clásica de curación espiritual en el viaje chamánico es el desmembramiento. Un animal como un oso o un águila, o una fuerza de la naturaleza como el viento, te desgarra el cuerpo hasta el hueso. La parte enferma es extraída y tu cuerpo es reconstruido luego con partes sanas. Es muy frecuente recibir un mensaje de desmembramiento cuando se pide curación. Aunque puede sonar horrible, la gente refiere una tremenda sensación de paz y amor durante la experiencia.

En este contexto, cabe recordar el caso de Susan, que albergaba un enorme dolor en lo más profundo de su corazón por la pérdida de un familiar. Viajó por ello hasta su animal de poder, que es un caballo, en busca de curación. El caballo llamó a un oso para que realizara un desmembramiento. El oso la desmembró, le sacó el corazón y después volvió a recomponerla con un corazón curado. Susan sintió un gran alivio después de su viaje.

Otra interpretación de los viajes de desmembramiento puede ser que la persona está siendo iniciada en la senda espiritual. Tu cuerpo y tu ego, que te mantienen separado o separada del poder del universo, salen temporalmente de ti, permitiéndote recordar que no eres solo un cuerpo, sino también un ser espiritual conectado con todo en la vida. Cuando la persona experimenta profundamente esta unidad, a menudo vuelve de la experiencia con aptitudes sanadoras o con una capacidad más profunda para el trabajo espiritual.

Si emprendes un trabajo de curación y sientes que la curación que recibiste fue beneficiosa, podrías desear repetir el viaje para profundizar en los resultados. Sin embargo, si sientes que el intento de curación no fue eficaz, puede que necesites recurrir, en la realidad ordinaria, a un sanador que no esté tan ligado personalmente al resultado.

Otro tipo de viaje de curación consiste en encontrar un lugar tranquilo en el Mundo Inferior o en el Mundo Superior donde, simplemente, puedas deshacerte del estrés cotidiano. Este tipo de viaje tiene un poderoso efecto recuperador. Puedes viajar con esta sencilla intención y regresar sintiéndote muy renovado.

Existen técnicas chamánicas más avanzadas cuyo propósito es curar a otros, pero que van más allá del alcance de este programa. No obstante, se imparten por todo el mundo un gran número de talleres dirigidos a todos aquellos que deseen aprender estas técnicas chamánicas de curación. Por favor, consulta la lista de recursos al final del libro para conocer las distintas opciones.

8

OTROS VIAJES

Dispones ya de toda una serie de nociones sobre los viajes de adivinación y curación personal. Te animo a que viajes para encontrarte con los espíritus de mamíferos, aves, peces, reptiles, piedras, árboles y otras plantas, con los que compartimos este magnífico planeta. Cuando imparto talleres de viaje chamánico dirigidos a principiantes, los participantes cuentan a menudo que les gusta practicar la técnica, pero que no saben con qué tipo de preguntas o intenciones abordar el viaje. Lo que te propongo a continuación es una lista de temas que puedes explorar en tus viajes chamá o intenciones abiacis total libertad para añadir a esta lista y crear tus propias cuestiones para tus viajes.

Viajes de interpretación

- Pide una interpretación de un sueño. Puedes formular tu pregunta de la siguiente manera: «¿Qué debo saber acerca de mi sueño?».

- Haz la pregunta: «¿Cuál es el mensaje o el significado de un símbolo que aparece en mi viaje y que no consigo entender?».

- Haz la pregunta: «¿Cuál es el significado del presagio o signo que recibí mientras daba un paseo por la naturaleza?».

- Haz la pregunta: «¿Cuál es la enseñanza o el regalo que recibo en este momento tan difícil?».

Viajes para aprender de tu historia familiar

- Pide conocer a un antepasado.

- Pide que se te muestren las aptitudes naturales y fortalezas que tienes en esta vida y que debes a tus antepasados. A menudo solo nos centramos en lo que no obtuvimos de nuestra familia. A través del proceso de supervivencia del más fuerte, vamos traspasando aptitudes personales de generación en generación, a lo largo de nuestra línea familiar. Asegúrate de que te fijas en las fortalezas de tu familia, tanto por parte de madre como por parte de padre. Este tipo de viaje ha resultado ser particularmente sanador para personas que fueron adoptadas o que no saben mucho acerca de sus raíces familiares.

- Pide que se te enseñe un mito o una historia de la creación para que puedas comprender cómo fuisteis creados tú y el mundo a tu alrededor.

- Pide reunirte, en el Mundo Superior o en el Mundo Inferior, con el espíritu de un ser querido fallecido, para terminar conversaciones inacabadas. Esta es una buena manera de calmar tus sentimientos hacia alguien que ha fallecido.

Viajes para ayudar a restablecer la armonía y el equilibrio en tu vida después de haber recibido ayuda espiritual, psicológica o médica

- Haz la pregunta: «¿Qué cambios tengo que hacer en mi vida para mantenerme sano con el tiempo o para contribuir a mi proceso de curación?».

- Haz la pregunta: «¿Cómo puedo usar mi energía creativa para crear un presente y un futuro positivos para mí?».

- Haz la pregunta: «¿Cómo recuperar la pasión y volver a dar sentido a mi vida?».

- Haz la pregunta: «¿Qué ejercicios sencillos puedo realizar a lo largo del día para transformar la energía que se desprende de mi ira, miedo, tristeza o frustración?».

- Haz la pregunta: «¿Cómo es que un mito personal o una historia de vida ya no me sirve?»

Viajes para conectar con el mundo natural

- Viaja para encontrarte con el mundo natural.

- Viaja a un cristal u otro objeto y aprende cómo desea ser utilizado.

- Viaja al espíritu de la tierra o de la ciudad donde vives para conocerla y aprender sobre su energía. Puedes viajar al espíritu del lugar donde vives o a un lugar que te gustaría conocer mejor.

- Viaja a la Luna para aprender sobre los ciclos lunares y saber cómo te afectan.

- Viaja para saber cómo te afectan las estaciones.

- Viaja para saber cómo puedes programar tu vida para estar en sintonía con los ciclos de la naturaleza.

- Viaja a una masa de agua para conocer su poder.

- Viaja a las estrellas para saber más sobre ellas.

- Viaja al espíritu de los insectos o roedores que invaden tu casa o jardín y negocia con ellos.

- Viaja para saber más sobre los espíritus del clima.

- Viaja para encontrarte con los espíritus de la tierra, el aire, el agua y el fuego.

- Viaja para conocer el poder del sol y cómo su energía es necesaria para que toda forma de vida prospere.

Viajes para recibir instrucciones sobre ceremonias

- Pregunta por una ceremonia que puedas realizar para liberar y transformar el miedo, la ira o un obstáculo a tu creatividad.

- Pregunta por una ceremonia que te ayude a manifestar un sueño o deseo.

- Interésate por una ceremonia que puedas utilizar para celebrar una transición en la vida, como la pubertad, la menopausia, el matrimonio, un traslado o un cambio de trabajo en tu trayectoria profesional.

- Pide instrucciones para una ceremonia que puedas celebrar como duelo o para decir adiós a un ser querido.

- Pregunta por una ceremonia que puedas realizar para honrar a alguien de tu familia o a alguien con quien trabajas.

- Pide instrucciones para una ceremonia que puedas celebrar para traer alegría o salud a tu vida.

- Interésate por una ceremonia para celebrar el cambio de estación.

Viajes por cuestiones sociales

- Viaja en busca de ayuda para resolver un conflicto con un ser querido, amigos, familiares o compañeros de trabajo.

- Viaja para reunirte con el animal de poder de la empresa u organización en la que trabajas. Pregunta al animal de poder cómo puede ayudarte a restablecer el equilibrio y la armonía en el entorno en el que trabajas.

- Viaja para pedir ayuda con proyectos creativos.

- Viaja para conocer al animal de poder de tu pareja o familia.

- Viaja para preguntar sobre el poder de las palabras y cómo la vibración y la intención de las palabras que pronunciamos pueden generar curación y paz.

- Viaja para preguntar cómo puedes ayudar a curar una herida social.

- Viaja para descubrir cómo puedes ser de utilidad y ayuda para resolver problemas ambientales o globales.

Viajes de exploración

- Viaja para explorar y percibir el paisaje de los diferentes niveles en el Mundo Inferior y en el Mundo Superior.

- Viaja para encontrarte con diferentes espíritus de ayuda en los diversos niveles del Mundo Superior e Inferior. Conoce los mensajes o la información que están dispuestos a compartir contigo.

9

INTEGRACIÓN DEL VIAJE CHAMÁNICO EN TU COMUNIDAD

Actualmente existen en todo el mundo grupos de viaje chamánico. La gente se reúne para viajar juntos y después comparten sus experiencias, lo cual proporciona un fuerte sentido de comunidad y hace posible que otras personas sean testigos de tus viajes. En la mayoría de los grupos de viaje, los miembros viajan por sus propios asuntos o por problemas de otra persona. Si pides a otros viajeros que viajen en tu nombre, recibirás seguramente información nueva y de gran ayuda que no recibiste cuando viajaste tú.

Algunos grupos viajan de forma colectiva por alguna cuestión, como un asunto relacionado con un problema global o algún acontecimiento del momento; por ejemplo, para pedir consejo sobre cómo abordar el cambio climático en su comunidad o sobre un problema social que les preocupa. Muchos grupos quieren saber cómo celebrar un cambio de estación o la fase actual de la Luna o piden consejo para la creación de rituales como comunidad. Cada miembro del grupo recibirá una pieza única de información, que será aportada junto con las demás para inspirar e instruir al grupo en conjunto. Puede que se den similitudes y sincronías entre las respuestas aportadas, lo cual viene a subrayar algún dato de particular importancia.

Muchos viajeros bien intencionados cuentan que les resulta difícil comprometerse con un grupo de viaje chamánico una vez por semana. La impresión que tengo es que reunirse dos veces al mes funciona mejor y da lugar a un grado más alto de asistencia. Me he dado cuenta también de que los grupos que se mantienen unidos durante más tiempo son aquellos en los que se viaja para otros miembros, así como para la comunidad y por temas globales. Estos grupos evolucionan hacia verdaderas comunidades, en las que los problemas individuales son abordados de la misma manera que los problemas que afectan al grupo entero.

Advertencia

Querría realizar una advertencia a aquellas personas que optan por viajar en grupo. Por favor, no compares la información que recibes tú con la que reciben otros miembros del grupo. A veces, esto produce una sensación de envidia entre miembros del grupo que desearían que sus viajes se parecieran a los de otros. Es esencial reconocer tu estilo único de viaje —así como el estilo de los demás— en lugar de considerar que un estilo es mejor que otro.

Si eres nuevo o nueva en la práctica del viaje chamánico, puedes considerar la posibilidad de compartir este programa con amigos, como una manera de crear un grupo de viajeros en tu comunidad. Podéis viajar cada uno por vuestra cuenta y reuniros luego, tal vez cada dos semanas, para realizar juntos viajes en grupo.

La técnica del viaje chamánico es una herramienta increíble para recibir curación y orientación en la vida. Con ayuda de nuestros espíritus, podemos dirigirnos hacia la creación de una vida llena de significado, alegría y pasión. De esta manera, comenzamos a despertar del hechizo bajo el cual hemos vivido y que nos dice que somos solo lo que parecemos ser en el mundo material. Comenzamos a participar en una danza con la vida y sus ciclos. Aprendemos a pasar de una vida de miedo y supervivencia a una vida de crecimiento personal.

Te sentirás abrazado por el amor del universo y los espíritus de ayuda. Abre tu corazón al amor, a la sabiduría y a la curación que van a compartir contigo. Al hacerlo, cambiará tu vida, pero es que, además, los cambios en la consciencia que podemos alcanzar juntos mediante el viaje chamánico pueden transformar el mundo.

AUDIOS PARA LOS TRES VIAJES CHAMÁNICOS

El lector podrá realizar los tres viajes chamánicos indicados por la autora, siguiendo las pautas dadas por la misma, y además a través de tres audios, explicados debidamente en cada uno de los capítulos oportunos, que reproducen los sonidos adecuados y pertinentes de cada viaje chamánico y los sonidos de tambor.

Para ello podrán acceder a escucharlos y descargarlos con el siguiente código QR con el enlace:

https://www.edaf.net/escaparate/audios-viaje-chamanico/

RECURSOS

Para más información sobre talleres impartidos por Sandra Ingerman, pueden escribir a la siguiente dirección:

Sandra Ingerman
P.P. Box 4757
Santa Fe, NM 87502

o visitar la página web de Sandra Ingerman:
www.sandraingerman.com

Para consultar una lista de maestros y grupos locales de chamanismo en tu localidad, visita www.shamanicteachers.com.

SOBRE LA AUTORA

Sandra Ingerman, especialista en asesoramiento psicológico, es autora de *Soul Retrieval: Mending the Fragmented Self* (editado en español con el título *Recuperación del alma*), *Welcome Home: Following Your Soul's Journey Home, A Fall to Grace, Medicine for the Earth: How to Transform Personal and Environmental Toxins* y *How to Heal Toxic Thoughts: Simple Tools for Personal Transformation.*

Imparte por todo el mundo talleres sobre la disciplina del viaje chamánico y sobre curación e inversión de la contaminación ambiental mediante métodos espirituales. Es reconocida internacionalmente por haber tendido un puente entre métodos ancestrales y transculturales de curación y nuestra cultura moderna, con el propósito de abordar las necesidades de nuestro tiempo. Sandra Ingerman trabaja en terapia familiar y de pareja y como asesora en salud mental.

OTROS TÍTULOS
DE LA COLECCIÓN

Johnny De' Carli
Reiki
Amor, salud y transformación

Lori Reid
Las manos.
Reflejo de tu bienestar

Jonathan Goldman y Andi Goldman
El efecto del tarareo
La sanación con sonido para la salud y la felicidad